Les filles modèles

3-SOS Cendrillon

marie potvin

Gouvernement du Québec – Programme de crédit d'impôt
pour l'édition de livres – Gestion Sodec

Nous reconnaissons l'aide financière du gouvernement du Canada
par l'entremise du Fonds du livre du Canada pour nos activités d'édition.

Les filles modèles, 3. SOS Cendrillon
© Les éditions les Malins inc., Marie Potvin
info@lesmalins.ca

Éditrice au contenu : Katherine Mossalim
Éditeur : Marc-André Audet
Correctrices : Corinne de Vailly, Fleur Neesham et Dörte Ufkes
Illustration de la couverture : Estelle Bachelard
Conception de la couverture : Shirley de Susini
Mise en page : Chantal Morisset

Dépôt légal – Bibliothèque et Archives nationales du Québec, 2015
Dépôt légal – Bibliothèque et Archives Canada, 2015

ISBN : 978-2-89657-335-6

Imprimé au Canada

Les éditions les Malins inc.
Montréal, QC

À Sandrine
Mon étoile turquoise

Avec en vedette :

Marie-Douce
Brisson-Bissonnette

Laura
St-Amour

Chapitre 1

Le pacte

— Je rêve ou t'es plus grande que moi ? Et tes cheveux ? Ton visage… Oh, mon Dieu ! Marie-Douce ? Mais qu'est-ce qu'ils t'ont fait là-bas ?

Laura me fixe comme si elle voyait un fantôme. L'odeur de fumée s'infiltre encore dans mes narines. Le feu est éteint, mais les pompiers n'ont toujours pas quitté les lieux. J'entends des voix partout autour de nous. Un homme en uniforme donne des ordres, Nathalie appelle Laura, mon père crie mon nom. La main de Laura serre la mienne très fort, son souffle semble court. A-t-elle été incommodée par la fumée ? Tout est de ma faute ! Mon erreur aurait pu tuer quelqu'un.

Mon cœur bat la chamade. Je suis comblée que Laura m'accueille avec autant d'enthousiasme. Voir son visage émerveillé par ma nouvelle apparence restera parmi mes meilleurs souvenirs. Les circonstances, par contre, sont dignes d'un cauchemar. Du peu que j'en sache, notre maison peut être une perte totale. *Mon Dieu, faites que les dommages ne se limitent qu'à la cuisine !*

En un rien de temps, mon père et Nathalie foncent sur nous, nous enveloppant d'un élan commun de leurs bras autour de notre couverture.

Dans leur étreinte, nous nous retrouvons collées l'une à l'autre, joue contre joue.

— On fa vien, fait la voix mi-amusée, mi-agacée de Laura.

Le visage coincé sur la poitrine de sa mère, la pauvre ne peut que marmonner.

— Vous êtes sûres ? Pas de brûlure ? Vous avez pas mal aux poumons ? Sûres, sûres ?

— T'en fais pas, Nathalie, tout va bien ! Je suis désolée, t'as pas idée à quel point ! J'ai pas fait exprès ! Je voulais juste me faire une *toast* !

Mon père me serre encore contre lui.

— Je dois parler aux pompiers, voir si tout est OK pour l'instant, dit-il. Nathalie, peux-tu rester avec les filles ?

— Non ! font nos deux voix en stéréo.

Surprises d'avoir dit la même chose au même moment, nous nous dévisageons, l'air ahuri.

— Je viens avec toi, annonce Nathalie à mon père, sans cesser de nous regarder. Je pense que les filles ont quelques mots à se dire.

L'odeur de fumée est intolérable, pas besoin de se consulter pour décider de s'éloigner de la maison. Pas loin, juste sur la colline où Corentin avait l'habitude de flâner. Toutes les deux pieds nus, nous marchons sans nous consulter ; nous savons où nous allons et nous sommes conscientes de l'importance de nous retrouver seules.

Le lever du soleil ajoute à la magie de notre escapade; ses rayons passent dans le trou d'un énorme nuage cotonneux, sortant en faisceaux lumineux comme sur une carte postale. Rien n'est normal. Notre vie vient de basculer. Une telle mésaventure fait réfléchir. Nous aurions pu nous blesser, nous aurions même pu y rester. *Mourir!* Ce mot me fait peur. Il est si… permanent. On pense toujours que les feux ou les accidents, ce n'est qu'aux autres que ça arrive. Erreur. J'en ai aujourd'hui la preuve.

Le gazon est couvert de rosée, nous nous assoyons dans l'herbe quand même. Au loin, nous entendons les voix des pompiers, des policiers et des voisins curieux. Aucune de nous n'ose parler. Nous ne savons plus par quoi commencer. De quelle façon casser la glace? Laura y va d'une question simple.

– C'était bien, ton été?

Je la regarde en souriant, reconnaissante qu'elle prenne les devants. J'ai passé un été magique, mais trouble. J'aurais aimé qu'elle soit là. Je revois dans ma tête Lucien, Corentin, les gars du groupe Full Power dont le fameux Harry Stone, les boutiques, mademoiselle Biche… Georges! Laura l'aurait remis à sa place assez vite, celui-là! J'aurais tant aimé qu'elle soit présente.

— C'était, euh… spécial. Et toi, hum, ton été?

— Moi? Ouafffff… pas mal merveilleux… Ouaip, super splendide. J'ai pas eu le temps de m'ennuyer!

— C'est vrai? Tant mieux…

Laura arrache des bouts de pelouse qu'elle lance à nos pieds nus.

— Non, en réalité, j'ai passé un été difficile. Le pire de ma vie, finit-elle par m'avouer.

— Ah, c'est plate ça.

Elle me regarde de biais.

— T'as changé, j'ai eu de la misère à te reconnaître! Je ne peux pas croire que t'es rendue plus grande que moi!

— Hé, regarde-moi pas comme ça! dis-je en croisant mes bras sur ma poitrine. J'ai juste un peu grandi et…

— Un peu? *Ne-non*, t'as explosé! T'es devenue une femme! Et qu'est-ce que t'as fait à tes cheveux?

Je roule les yeux. Laura n'a pas perdu son sens de l'exagération.

— Moi? J'ai rien fait… Mais je ne peux pas en dire autant de Georges, le styliste de Miranda. J'ai été captive de ses «soins» pendant une semaine. C'était l'enfer. J'espère ne jamais le revoir!

– Capturée par un styliste parisien? J'aime tes problèmes!

Un autre silence s'installe. Je dois lui dire ce que j'ai sur le cœur, c'est le temps, là, maintenant. Mon départ précipité, ce matin-là, avec le chat…

Oh mon Dieu! Dracule! Je l'avais oublié!

– Laura! Ton chat! Il faut aller voir s'il est vivant! J'ai vu Trucker sur la pelouse, mais pas Dracule!

Alors que je m'attends à ce qu'elle se lève d'un bond, elle reste bien tranquille sur la pelouse.

– Calme-toi. Je l'ai donné à Constance.

– Quoi? Mais tu y tenais, à ton chat! Pourquoi t'as fait ça?

Un autre silence. Elle arrache et lance quelques brins d'herbe de plus.

– Pour que tu reviennes à la maison, finit-elle par me confier.

Mon cœur se gonfle.

– C'est vrai?

– Oui, c'est vrai, espèce de grande nouille.

Touchée par cette preuve d'amitié, je me pince l'avant-bras pour m'assurer que je ne rêve pas.

La sensation sur ma peau est assez vive pour me convaincre.

— Laura, tu sais quand je suis partie dans la limousine ? J'ai voulu revenir te voir pour écouter ce que tu avais à dire. Je ne voulais pas m'en aller du tout !

— Pourquoi tu l'as pas fait, d'abord ?

C'est de la vraie douleur que je vois sur ses traits ? Je me sens coupable de ne pas m'être battue pour elle.

— Le père de Corentin m'en a empêchée.

— J'ai essayé de te téléphoner dans les jours qui ont suivi. T'as pas reçu mes messages ?

Je secoue la tête avec tristesse.

— Aucun.

— Tu crois que c'est ton beau-père qui les a interceptés ?

— Lui ou ma mère. Tu sais, Miranda… c'est pas une enfant de chœur.

— Je m'en doutais. Désolée de dire ça de ta mère, mais je l'ai détestée au premier regard. C'était comment, vivre avec eux ? Ils ont l'air bizarre ! Et ton beau-père… il est donc ben méchant ! Pourquoi il nous a empêchées de nous parler ?

Je hausse les épaules.

— Je me suis posé la même question. À vrai dire, depuis que je le connais mieux, je crois qu'il n'a juste pas pensé à nous. Cet homme-là a toujours la tête dans son petit monde artificiel. Ce n'est pas par méchanceté, mais ma présence à elle seule dérangeait ses plans, rien à voir avec toi.

— Défends-le pas ! Je vais lui dire, moi, qu'il a pas été correct ! s'insurge Laura.

— Ah oui ? J'ai bien hâte de voir ça. Valentin Cœur-de-Lion est un peu… comment dire… intimidant. Rien à voir avec mon père, ça c'est sûr.

— Ç'a dû être pénible… suppose-t-elle.

— Une chance que Corentin était là. On a passé pas mal de temps à fuir nos parents ! Mais, Laura, je pensais que tu ne voudrais plus me parler pour toujours. Quand je me suis rendu compte que tu m'évitais sur Skype, j'ai eu beaucoup de peine.

— C'était trop dur, je ne savais pas quoi dire… Je croyais que tu ne voulais pas me voir, soupire-t-elle.

— Pour de vrai ? Tu pensais ça ?

— Ben oui ! Mets-toi à ma place !

— Je pensais la même chose ! J'étais sûre que TOI, tu ne voulais pas ME voir !

Laura secoue la tête, exaspérée. Elle couvre son visage de ses mains.

— On a été connes à faire peur ! J'en reviens pas !

Elle se lève et me tend la main pour que je me redresse aussi. Une fois toutes les deux debout, elle lève son petit doigt devant moi.

— Donne-moi ton doigt, dit-elle.

J'obéis en haussant les sourcils, incertaine de son plan. Nos auriculaires accrochés l'un à l'autre, j'essaie de comprendre.

— OK… mais qu'est-ce que tu fais ?

— Un pacte ! Jurons de ne plus jamais nous séparer. T'es ma sœur, ma vraie de vraie sœur. Plus d'histoires de demi ou fausses sœurs. Tout ça, c'est niaiseux. Alors, t'es d'accord ?

Chapitre 2

*Le blues du sofa
de plastique*

Madame Bibeau doit avoir au moins soixante-dix ans. Elle habite à côté et elle est du genre à observer le voisinage de sa fenêtre du salon. On voit souvent ses rideaux bouger, on sait qu'elle est là, mais elle ne sort jamais à part pour arroser son trottoir tous les jours depuis le printemps jusqu'à l'automne. Ce matin, c'est elle qui accueille dans sa maison la petite famille de naufragés que nous sommes depuis que Marie-Douce a mis le feu à la cuisine. Chez madame Bibeau, ça sent un mélange de boules à mites, de tarte aux pommes et de soupe aux navets.

Les cadres sur ses murs représentent des images de la Sainte Vierge avec l'enfant Jésus ou des paysages d'antan peints par de très mauvais artistes. Un mur entier dans l'entrée est orné de diverses photos de famille. Il y a un soldat d'une vieille guerre, que je soupçonne être son mari décédé. Je vois une jeune fille portant un voile de mariée, c'est madame Bibeau elle-même, elle est facile à reconnaître. Il y a aussi des enfants représentés en noir et blanc qui doivent être les siens. Les sofas du salon sont recouverts d'un plastique transparent. Les découvre-t-elle parfois ou en fait-elle des meubles figés dans le temps, que rien ne peut salir ou abîmer ? Peut-être qu'elle les a recouverts parce qu'elle fait souvent des dégâts. Non, je sais, elle est trop paresseuse pour les laver !

— Mes pauvres amours, vous devez être traumatisées ! Je vais vous faire un bon chocolat chaud !

Elle nous invite à nous asseoir sur ses divans de plastique. Ça va faire « squeek-squeek » ces affaires-là !

— Excusez le désordre. Je n'attendais pas de visite aujourd'hui !

Maman me lance un petit regard amusé. On se doute bien que la maison de madame Bibeau est IMPECCABLE en tout temps, tout le contraire de chez nous !

— Ça va, madame Bibeau, au point où nous en sommes ce matin…

— Oh, je comprends, ma belle fille. Je t'en prie, appelle-moi Francine ! Est-ce que les petites ont faim ?

— Non merci ! nous écrions-nous en même temps.

Beau synchronisme, entre ma sœur et moi.

Ah oui, parce que Marie-Douce, *ma sœur*, a accepté le pacte.

J'ai une sœur ! J'ai une sœur !

J'ai envie de le crier sur tous les toits !

Je sais que c'est un peu vite pour l'appeler comme ça, mais puisqu'on est d'accord, je peux bien dire ce que mon cœur me dicte, non?

Pendant que Francine Bibeau prépare de la nourriture à la cuisine en compagnie de nos parents, Marie-Douce et moi avons le salon à nous. Je lui raconte en bref que je me suis rapprochée de Constance, qu'au début c'était pour me changer les idées, mais que j'ai découvert assez vite que la fille est plus *cool* que je ne l'avais cru au départ. Ma « sœur » n'est pas surprise, elle la connaît bien. Malgré ça, quelque chose me tracasse.

– J'ai une question, concernant Constance… Elle m'a semblé bizarre quand je lui ai dit que tu revenais de Paris. Est-ce que t'es en chicane avec elle?

Marie-Douce émet un petit rire sec.

– Non, pas que je sache…

Mmmm… c'est louche. Marie-Douce évite mon regard, j'ai la nette impression qu'elle ne me dit pas tout!

– Ben moi, je dirais que quelque chose ne tourne pas rond entre vous.

Marie-Douce me fait un petit sourire triste.

– Constance est pas méchante, c'est juste que, des fois, elle s'éloigne de moi sans raison. Ensuite, elle revient me parler. Depuis le temps que je la connais, je ne m'en fais plus avec ça! Et puis, on dirait bien que t'es sa nouvelle *BFF*, c'est *cool*, non?

— C'est toi, ma *BFF*!

— Moi, je suis ta sœur, c'est pas pareil, me corrige-t-elle. Tu peux avoir des amies, t'sais.

— Alors, si je suis la *BFF* de Constance, ça ne te dérangera vraiment pas? Je croyais que TU étais sa *BFF*… Je ne veux pas causer de la chicane!

Marie-Douce secoue la tête.

— T'sais, le concept de *BFF*… je ne comprends pas trop le *trip* de toute façon. Pourquoi est-ce qu'il faut rendre ça compliqué? Tu peux être l'amie de qui tu veux!

— Ouais, t'as raison. C'est nono…

Toujours assise à mes côtés sur le divan qui fait squeek-squeek, Marie-Douce semble songeuse.

— Attends-toi à ce qu'on nous trouve un peu folles de dire qu'on est des sœurs, dit-elle. Pas besoin de l'étaler partout… l'important, c'est que nous, on le sait. Je suis vraiment touchée de t'avoir pour sœur, t'sais.

— T'as raison. Surtout Constance, je pense qu'elle ne va pas aimer ça.

— C'est très possible. C'est pas nécessaire de lui mettre ça sous le nez non plus. C'est nos oignons, pas les siens, affirme Marie-Douce.

— Woah, t'as changé depuis que t'es allée à l'autre bout du monde ! Me semble que t'étais pas si mature.

Elle rit doucement.

— J'ai pas changé tant que ça. C'est juste qu'on n'a pas eu la chance d'apprendre à se connaître.

— On va y remédier, ça, c'est certain. Faudra t'habituer à mon univers, cette année. Je te préviens, tu vas devoir te tenir avec moi.

En disant ça, j'ai le souvenir d'Alexandrine Dumais en tête. Je ne veux pas être bosseuse comme elle. Je me racle la gorge avant d'ajouter :

— Si tu veux, évidemment… je ne voudrais pas t'obliger…

— Merci, Laura, me répond-elle avec un sourire. Ça serait *cool*.

— Hé, dis donc, on jase là, mais as-tu une idée de l'endroit où nous allons rester jusqu'à ce que la maison soit habitable ?

Toujours assise sur le sofa recouvert de plastique, Marie-Douce sautille sur le coussin qui fait squeek-squeek.

— Je ne sais pas, mais je refuse de dormir sur un divan qui a encore son emballage du magasin !

Chapitre 3

La promesse solennelle

Laura et moi avons fini par atterrir chez Corentin. Après un peu d'argumentation avec nos parents respectifs (mon père, Miranda, Nathalie et monsieur Cœur-de-Lion), il fut décidé que nous irions dans leur beau domaine de Vaudreuil-sur-le-Lac. Papa et Nathalie (les pas chanceux) sont demeurés chez madame Bibeau. Ils voulaient rester près de la maison pour superviser les travaux de nettoyage et de reconstruction. Je parie que madame Bibeau leur fait faire chambre à part. J'espère que mon père ne se retrouvera pas à dormir sur le divan de plastique !

Même si la maison de Valentin Cœur-de-Lion est immense, nous avons insisté pour partager la même chambre. Mon beau-père n'en a pas fait de cas. Il a une entrevue pour *Le monde des Stars*, un journaliste vient passer quelques heures au domaine avec son photographe. Nous ne sommes que des fourmis par rapport à ses priorités du moment. Ça, Laura l'a bien remarqué, me glissant un « ah OK, c'est ça que tu voulais dire. Il se fiche pas mal de nous, le bonhomme aux dents blanches… »

Miranda, de son côté, n'arrête pas de répéter en boucle « ma petite fille a failli mourir, ma petite fille, oh ma petite fille qui aurait pu brûler vive ! » Quelle *DRAMA QUEEN*, ma pauvre mère ! J'ai hâte qu'elle aille se coucher.

Nathalie a offert à Laura d'appeler son père pour l'informer de l'incendie et peut-être aussi lui demander si elle pouvait aller passer quelques jours chez lui. Laura a refusé net, affirmant sans hésiter qu'elle n'avait rien à lui dire. Elle ne voulait pas non plus voir sa demi-sœur. D'ailleurs, je crois qu'elle ne sait même pas son prénom. Ma sœur a décidé qu'elle ne reverrait ni son père, ni le bébé, ni sa nouvelle belle-mère prénommée Martine. J'espère qu'elle changera d'idée. C'est un peu triste, je trouve, la tournure que prennent les événements. Elle avait si hâte de voir son papa. Il lui manquait tellement qu'elle a voulu saboter la relation de sa mère avec mon père !

Nous sommes dans ma chambre chez les Cœur-de-Lion. Corentin nous a souhaité bonne nuit avant de disparaître dans le couloir. Sa chambre est à quelques portes de la mienne. Valentin a cru bon de placer la chambre de Gisèle, la cuisinière, entre les nôtres. Un chaperon pratique ! C'est une bonne chose que Miranda ait apporté la plupart de mes valises ici, nous avons des vêtements pour toute la semaine.

Nous avons enfilé les pyjamas que ma mère m'a achetés à Paris. Le mien, tout rose garni de cœurs, celui de Laura, bleu recouvert de lapins blancs.

– Il est confortable, ce « pyj » !

– Il est à toi, je t'en fais cadeau, dis-je en souriant.

Devant les vêtements que je sors un à un de mes bagages, ses yeux deviennent de plus en plus ronds.

– On dirait que t'es devenue une princesse… Ça n'a pas de bon sens, tout ça, Marie-Douce… voyons donc… murmure-t-elle.

J'allais lui dire que j'en avais vu une vraie de vraie à Paris, mais je m'arrête. Inutile de tout lui raconter d'un seul coup. Elle est déjà assez troublée par mon nouveau chez-moi.

– Je ne savais pas que Corentin était aussi riche, dit-elle. Il m'a caché sa vraie vie ! Pourquoi il m'a rien dit ?

Un à un, je place mes nouveaux chemisiers et pantalons sur des cintres. Sans cesser de manipuler les vêtements, je réponds à Laura :

– Il voulait qu'on l'aime pour lui-même et non pour ce qu'il possède.

– Je le comprends, murmure-t-elle. Et je l'aimais pour lui-même. Je l'aime encore, d'ailleurs.

À ces mots, je m'immobilise, cintre dans une main, jean dans l'autre.

– Comme un ami ou… ?

Laura me lance un regard de panique.

– Oui ! Comme un ami, voyons ! Pas comme un amoureux, c'est sûr ! Pourquoi tu me demandes ça ? Est-ce que toi… ?

Ouille ! J'ai un léger malaise devant cette question. Surtout que j'ai tout le mal du monde à identifier mes sentiments pour Corentin de façon claire. Je l'adore, j'ai besoin de sa présence, il m'émeut, m'impressionne… mais est-ce de l'amour comme lui s'y attendrait ? Je dois admettre que non. Lucien Varnel-Smith, son meilleur ami, a créé beaucoup de confusion dans ma tête et dans mon cœur avec ce baiser inattendu. Dire qu'il sera ici dans un mois ! J'ai peine à y croire. Moi qui étais certaine de ne jamais le revoir. J'ai la trouille...

– Marie-Douce ? insiste Laura. Est-ce que t'aimes Corentin ? T'es toute bizarre, là ! Tu m'inquiètes !

– NON ! Pas du tout. Corentin, c'est mon frère, maintenant. Comme toi, t'es ma sœur.

– Fiou ! Parce que ç'aurait été compliqué. T'imagines si l'une de nous était amoureuse de Corentin ? Ayayayeee…

Le soulagement que je lis sur le visage de Laura ne me rassure pas. S'il fallait qu'un jour, Corentin et moi… on soit… Non. Ça n'arrivera jamais. Il ne faut pas qu'on en vienne à ça. Des embrouilles avec ma sœur, j'en ai assez eu! Désormais, je suis prête à tout pour ne plus vivre ça. C'est pourquoi je ne juge pas nécessaire, voire risqué, de lui dire que Corentin m'a fait une déclaration d'amour il n'y a pas si longtemps…

— Ouf, à qui le dis-tu! Je t'aurais laissé l'avoir, c'est sûr.

— Non, moi, je t'aurais laissé l'avoir, objecte Laura.

Nous nous dévisageons en souriant. Je ne peux pas m'empêcher de me demander si nous aurions été aussi gentilles si cette situation était arrivée pour de vrai. L'important, c'est que, pour l'instant, il n'y a aucune complication entre nous et Corentin!

— Promettons-nous une chose, déclare Laura.

— Je t'écoute.

— De ne jamais nous voler nos amoureux, quoi qu'il arrive. Si l'une aime un garçon en premier, que l'autre n'y touche jamais. C'est d'accord?

Je ravale ma salive. Le regard presque noir de Laura est intense alors qu'elle débite ces paroles solennelles.

— J'ai vécu des affaires pas très le *fun* cet été. Je t'ai pas encore tout raconté. Je ne voudrais pas qu'entre nous, il y ait un jour ce genre de problème.

— Étais-tu amoureuse d'un garçon et quelqu'un te l'a piqué?

Elle hoche la tête, les lèvres pincées. Je suis triste pour elle, ce n'est pas drôle d'avoir eu à vivre ça! Du coup, je me demande de qui elle parle. Si Laura aimait un gars, je n'en ai pas eu conscience. Se peut-il qu'elle fasse référence à Corentin même si elle vient de me dire le contraire, il y a quelques minutes à peine?

— Alors c'est promis. Pas de piquage de chum entre nous.

Quelques instants plus tard, je lui montre un peu la maison. Laura s'extasie devant l'extravagance de mon petit univers personnel. Un bureau pour faire mes devoirs, une télé à écran géant, mon gymnase, c'est-à-dire une autre pièce dont les murs sont recouverts de miroirs et de poutres pour faire mes étirements. De la place pour danser et pratiquer les arts martiaux sur du beau bois franc au vernis luisant, des matelas de gymnastique. J'ai même un trapèze accroché au plafond! Une autre idée de ma mère qui était acrobate pour le Cirque du Soleil. Elle m'a d'ailleurs promis de m'enseigner plein de nouvelles choses.

Je remarque que Laura semble troublée par ce qu'elle voit. Elle tourne en rond d'un pas lent dans mon aire de danse, les bras croisés, le regard sur le plancher.

– Qu'est-ce qu'il y a, Laura ?

– Rien…

Elle évite mon regard en se cachant le visage derrière sa tignasse brune, les yeux rivés sur ses propres pieds.

– Voyons, Lau, ne me dis pas qu'il y a rien. Je vois bien que t'es triste…

Elle relève la tête, son menton est crispé. Pourquoi ?

– Tu vas rester tout le temps ici, c'est sûr, dit-elle. On ne peut pas rivaliser avec tout ça chez ton père !

– Hé ! Dis pas une chose pareille. Tu sais à quel point j'adore mon père et Nathalie. Tout ça, c'est bien beau, mais c'est pas ce qui compte le plus pour moi. D'ailleurs, je voulais te demander quelque chose.

– Quoi ?

– Quand on sera chez mon père, est-ce qu'on peut remettre ton lit dans ma chambre ? Ce sera trop poche, sinon…

C'est sorti tout seul, je n'y avais pas songé. Mais c'est vrai. Je veux qu'on remette notre chambre comme elle était quand je suis partie. J'espère qu'elle sera d'accord.

La réponse n'est pas longue à venir.

– J'osais pas te le demander…, dit-elle.

– Ah ben, c'est réglé alors.

Chapitre 4

Confidence troublante

Le retour de Marie-Douce a été pour le moins… intense. La bonne nouvelle, c'est que le feu ne s'est répandu que dans la cuisine. Le reste de la maison a besoin d'un grand nettoyage à cause de l'eau et de la fumée, mais rien d'autre n'a été calciné.

Ma mère nous a annoncé hier qu'il faudrait un mois pour que tout soit comme avant. Miranda, dans un élan de générosité, a tenu à nous garder toutes les deux « le temps qu'il faudra ». Ça, elle l'a répété plusieurs fois à Hugo. Quel perroquet cette femme ! Malgré tout, je dois admettre que j'apprécie son hospitalité. Ma mère m'a apporté une valise de vêtements et nos effets scolaires qu'elle avait achetés il y a déjà plusieurs semaines (elle est prévoyante).

Elle a oublié les cadeaux que Marie-Douce m'avait rapportés de Paris. Ce n'est pas la fin du monde, ça nous fera quelque chose à découvrir ensemble à notre retour à la maison. La bonne nouvelle, c'est que nous sommes à nouveau des co-chambreuses. Il n'y a que le décor qui a changé.

Et quel décor ! Oh mon Dieu ! On dirait que je suis chez Angelina Jolie et Brad Pitt ! OK, peut-être pas aussi majestueux que leur maison doit l'être, mais pas loin. À part la chambre de Marie-Douce qui est rose et jaune (euh, ARK… pauvre elle), tout est blanc sur blanc. Une chance qu'on peut voir les arbres verts et le ciel bleu à travers les immenses fenêtres (qui ressemblent à des vitrines de magasin), parce que les murs, les meubles et même les décorations (sculptures, cadres, bibelots) sont blancs !

Plusieurs murs sont ornés de photos de Valentin Cœur-de-Lion. Il faut qu'il soit vraiment imbu de lui-même pour décorer sa maison avec sa propre face ! Il est très connu en Europe, paraît-il. Je le vois sur ses photos d'acteur, ses *posters* de films où on l'aperçoit, parfois tenant un pistolet, avec une grosse moustache, parfois penché sur une héroïne qu'il semble s'apprêter à embrasser. J'ai observé tout ça hier, quand, au réveil, je me suis promenée un peu partout dans la demeure.

Ce matin, Corentin s'est levé en même temps que moi. Marie-Douce est déjà dans son gymnase avec un prof privé de karaté. La pauvre, elle ne peut même pas se reposer un lundi matin de congé. Il fallait que sa mère lui *booke* une séance d'entraînement. Le fait qu'elle soit occupée me permet de passer du temps seule avec Corentin. Nous avons besoin de nous parler, ça c'est clair. Trop de choses se sont produites depuis son départ pour Paris le printemps dernier.

— J'en reviens pas que tu m'aies caché tout ça !

Je fais un tour sur moi-même, les bras en l'air pour désigner l'ensemble de la maison. Nous sommes dans la salle à manger. Une table assez longue pour accueillir au moins douze convives trône au centre de la pièce. Pour toute réponse, Corentin me tire une chaise. J'hésite à m'asseoir, j'ai peur de la tacher. Du cuir blanc, c'est salissant !

— Allez, la chaise ne te mangera pas. As-tu faim ?

— Je suis affamée.

— T'as envie de quoi ? demande-t-il. On a tout.

— Euh… des toasts au beurre de pinottes.

Il semble surpris par mon choix.

— Quoi ? ! C'est de ça que j'ai le goût !

Une dame aux cheveux bruns que j'ai entrevue près de la chambre de Marie-Douce hier soir écoute les directives de Corentin. Oh mon Dieu, je pense que c'est leur cuisinière ! Ça fait drôle de voir Corentin dans le rôle d'un riche ado qui donne des ordres à une domestique ! On se croirait dans un film. J'ai l'impression que d'une minute à l'autre, une équipe de télé va sortir du placard en riant de la bonne blague à mes dépens.

— C'est Gisèle, notre cuisinière. Arrête de me regarder comme ça, Laura. Tu vas t'y faire. Si Marie-Douce y est arrivée, je pense que tu le peux aussi !

– C'est capoté… T'es comme ces riches qu'on voit à la télé. Seigneur ! Je rêve !

– Non, tu ne rêves pas. Calme-toi, c'est pas si extraordinaire que tu le crois. Tout ça, ça rend pas heureux. La preuve, c'est que j'étais mieux assis sur le gazon derrière le musée avec ma musique dans les oreilles que tout seul ici. Et s'il te plaît, ne dis rien à tes copines. C'est pas nécessaire que les gens… euh… sachent.

– Oui, je comprends. J'en parlerai pas… Mais c'est pas l'envie qui manque, ça c'est certain !

Il s'assoit à côté de moi. La cuisinière pose devant nous des ustensiles et des napperons.

– Demain, vous mangerez au comptoir, annonce-t-elle avec raideur.

– Vous avez raison, madame Gosselin. On vous donne du travail pour rien.

La dame se radoucit sous le charme de Corentin.

– C'est correct, mon garçon. Est-ce que Marie-Douce va manger aussi ?

– Oui, dans quelques minutes. Avez-vous ses Froot Loops ?

– Bien sûr ! Qu'est-ce que tu crois ?

Madame Gosselin sourit avant de pivoter sur ses talons en chantonnant. Elle revient quelques instants plus tard avec trois assiettes de gaufres chaudes garnies de crème fouettée, de Froot Loops et de fraises. D'un clin d'œil complice à Corentin, elle disparaît dans la cuisine.

– C'est toi qui lui as demandé ça ?

Il saisit une fraise dans mon assiette et la trempe dans la crème fouettée, avant de la forcer dans ma bouche.

– « Des toasts au beurre de pinottes », m'imite-t-il, railleur. Grande sotte !

– Grande sotte, toi-même ! Je ne suis pas habituée à… à… tout ça, moi ! Merci pour la crème fouettée. T'as pas idée à quel point ça me fait plaisir. Bon, raconte-moi donc c'était quoi, tous ces messages en paraboles incompréhensibles.

Je regarde l'horloge d'un œil amusé.

– T'as encore dix minutes avant que Marie-Douce finisse sa séance.

Il repousse son assiette. Est-ce que je viens de lui couper l'appétit ?

– Ah, mes petits messages t'ont rendue folle ? C'était le but. En fait, j'avais rien de bien important à dire. Je m'amusais, c'est tout.

Ah ouais ? Tu t'amusais ? Je ne crois pas, moi !

Corentin rit un peu, mais s'arrête vite lorsqu'il voit l'expression de mon visage. Il se doute que je n'en resterai pas là. Je sors mon iPod de la poche de mon pyjama, j'appuie sur le bouton et je glisse mon doigt jusqu'à retrouver le message qui m'a empêchée de dormir. Empruntant son accent parisien, je lis à haute voix :

— « *Rien à voir avec toi, c'est Marie-Douce qui est en cause. Nous avons un problème et je ne sais pas comment le régler. En fait, je ne crois pas que ça se règle tout court. J'ai beaucoup de peine. Pour tout te dire, je ne sais pas si c'est le ciel qui me punit pour ce que je t'ai fait, mais ce que je vis n'est pas facile.* »

Une fois ma lecture faite, je glisse l'iPod dans ma poche avant de regarder mon ami avec un large sourire.

— T'es certain que t'as rien à me dire ? Surtout que dans le message suivant, tu parlais de détails croustillants. *Go*, parle, j'attends !

Sous mon regard inquisiteur, il se frotte le visage avec vigueur. Il a quelque chose de gênant à me dire, c'est sûr. Même si j'ai encore faim et que ma gaufre est à peine entamée, je lâche ma fourchette pour me retourner vers lui. Oh mon Dieu, il est rouge comme une tomate ! Qu'est-ce qu'il y a donc de si grave ?

— Tu dois promettre de ne pas rire.

— Promis, juré, croix de bois, croix de fer, si je meurs, je vais en enfer.

Il ouvre la bouche, puis la referme.

— Ah non, c'est trop dur. Je ne peux pas. Toi, raconte-moi plutôt ton été ! J'ai vu que tu fréquentes Constance, c'est bien…

Je ne suis pas dupe. Il me cache quelque chose d'important, c'est ÉVIDENT. Impatiente, je me lève d'un mouvement brusque. Ma chaise serait tombée à la renverse si Corentin n'avait pas eu le réflexe de la retenir. Il s'est redressé en même temps que moi. Cherche-t-il à s'enfuir ? Il n'en est pas question !

Il porte un pyjama à carreaux dont la veste est déboutonnée sur un t-shirt blanc. Je saisis à deux mains le collet de coton noir et gris. Corentin semble avoir grandi pas mal, parce que je dois me casser le cou pour le regarder (coudonc, moi aussi, je veux aller à Paris, j'ai besoin de grandir un peu !). Il pourrait me repousser sans difficulté, mais il n'en fait rien. Je vois dans ses yeux bleus qu'il est triste. Si triste… Il respire fort, comme s'il était essoufflé, tout à coup. Soudain, j'ai pitié de lui, même si je ne sais pas pourquoi. Je lâche son collet et je repousse une mèche rebelle de son visage. Mon Dieu qu'il est beau.

— Tu peux tout me dire, Coco. Voyons, c'est moi là… après tout ce qu'on a traversé, tu sais que tu peux me faire confiance.

— J'aime Marie-Douce, souffle-t-il.

— Tu l'aimes ? Comme dans le sens d'en être amoureux ?

Il hoche la tête.

— Oh, mon Dieu, Coco… Est-ce qu'elle le sait ?

Il acquiesce encore.

— Et elle ? Est-ce qu'elle t'aime aussi ?

Il secoue la tête à la négative avant de quitter la pièce sans se retourner.

Wow !… Corentin est amoureux de Marie-Douce. Elle ne m'a rien dit à ce sujet. Comment a-t-elle pu retenir ce « léger » détail ? Il faut dire qu'hier soir, je n'ai cessé de parler. Je lui ai presque tout raconté, depuis ma mésaventure avec Érica concernant ce message texte où elle disait que je lui tapais sur les nerfs, jusqu'à mon amitié éphémère avec Alexandrine, la passe des poupées vaudou jusqu'à la fois où elle m'a forcée à choisir entre elle et Constance. Moi aussi, j'ai omis un détail. Samuel… Je n'ai pas dit à Marie-Douce que je l'aimais.

Je pense qu'on a encore des choses à se dire, toutes les deux !

Chapitre 5

L'angoissée

Ce matin, c'est la rentrée scolaire. Vêtus de nos chandails blancs au logo de l'école secondaire de la Cité-des-Jeunes, Corentin, Laura et moi montons ensemble dans la limousine conduite par Bruno. Alors que ma sœur regarde partout, touche à tous les boutons, flatte le cuir de son siège, s'exclamant devant la technologie de la voiture, Corentin et moi nous dévisageons de biais. Ce que je voulais à tout prix éviter est en train de se produire. Un énorme malaise entre lui, moi et Laura a commencé à se faire sentir pas plus tard qu'hier, lorsque j'ai mangé ma gaufre froide avec de la crème fouettée fondue.

Laura était assise devant son assiette presque vide, elle jouait avec sa fourchette. J'ai croisé Corentin dans l'escalier, c'est à peine s'il m'a regardée, encore moins adressé la parole. Quelque chose s'était passé entre ces deux-là, c'était criant. Après plusieurs, « rien », « laisse faire » et « oublie ça » de la part de Laura quand je l'ai questionnée sur la raison de son silence, j'ai cogné à la porte de la chambre de Corentin. La pièce était plongée dans le noir.

— J'ai mal à la tête, tu peux me laisser dormir un peu, s'il te plaît ? m'a-t-il demandé.

— Bien sûr.

Quand je suis redescendue, Laura était avec Miranda qui lui montrait des vidéos de ses années au Cirque. Je me suis assise avec elles, en silence.

Dans un élan de *je-ne-sais-pas-pourquoi*, Valentin a tenu à inviter Nathalie et Hugo pour souper. Il a dit que les circonstances s'y prêtaient et que si Miranda ne voyait pas d'objection à accueillir son ancien mari chez elle, alors lui non plus.

Le père de Corentin est comme ça. Pour lui, la courtoisie et les bonnes manières, c'est primordial. Le hic, c'est qu'il s'attend à la même chose en retour. Du coup, je me demande s'il ne vient pas de tendre un piège à mon père. Comment rivaliser avec ce genre d'invitation quand on est le commun des mortels? Je n'imagine pas Valentin Cœur-de-Lion en train de savourer le super pâté chinois extra-ketchup d'Hugo Bissonnette! Il faut dire que côté cuisine, chez nous, c'est plutôt de premier niveau, à moins qu'il fasse ses gros steaks sur le BBQ! Encore là… Le précieux Valentin devant un gros T-Bone? Euhhhhh… non. Valentin refuse de manger de la viande rouge, ça fait vieillir, selon sa nutritionniste personnelle.

Nous avons donc savouré un repas cinq services quasi végétarien tous ensemble, la joyeuse famille recomposée. Quel portrait bizarre que de voir mon père, Nathalie, Miranda, Valentin, Corentin, Laura et moi à une même table. Il ne manquait que le père de Laura et sa petite famille. Peut-être recevrons-nous tout ce beau monde à Noël? Bref, Nathalie était mal à l'aise et voulait aider les domestiques. Miranda riait de sa voix cristalline devant la trop grande politesse de la mère de Laura.

Le souper s'est éternisé jusqu'à ce qu'on se couche. Laura et moi n'avons pas beaucoup parlé de toute la soirée. À part pour rire des maladresses de nos parents et du père de Corentin qui a encore du mal à comprendre l'accent québécois. Si Miranda pouvait arrêter de se forcer à parler la bouche en cul de poule dès qu'il est dans les parages, peut-être que Valentin pourrait apprendre plus vite! Nous étions donc trop fatiguées pour attaquer les sujets importants. Comme parler des garçons, par exemple. Nous avons beau avoir fait une promesse sincère de ne jamais nous piler sur les pieds en ce qui a trait à nos amours, encore faudrait-il s'ouvrir l'une à l'autre sur la question! Sinon, comment savoir?

Comme le dirait si bien mon père, Rome ne s'est pas bâtie en un seul jour! Il faudra du temps pour que Laura et moi devenions de vraies confidentes.

La confiance, même si on la désire avec toutes les fibres de notre corps, ça se gagne avec le temps.

— Je suis nerveuse pour demain, Laura. Il me semble que je ne suis plus la même personne. Penses-tu que je vais faire rire de moi ?

— T'es pas sérieuse, là, j'espère ? T'as peur de te faire niaiser pour de vrai ?

— Beeennnnn… Ouiiiii !

Laura s'est retournée en tapotant son oreiller pour le rendre plus confortable.

— T'as beaucoup changé, c'est vrai. Mais t'es encore plus belle qu'avant, alors pas de panique. Fais juste éviter Alexandrine Dumais, OK ? Elle risque de vouloir devenir ton amie tout à coup.

— Es-tu folle ? Et perdre la chance de faire une poupée vaudou d'Érica ? J'en reviens pas de tout ce que tu m'as raconté ! Elle est un peu barjo, la fille !

— Elle est… disons… spéciale ! Faut s'en méfier. Bonne nuit… À demain.

— Bonne nuit… T'es chanceuse, tu vas dormir, toi… Moi, c'est pas garanti !

Demain est arrivé trop vite. J'angoisse un peu, j'ai l'impression que je serai comme une nouvelle élève dans une place que je connais déjà. Bruno nous dépose devant l'église Saint-Michel, pas très loin de l'école, à la demande de Corentin. On pourrait croire que c'est bizarre de marcher une dizaine de minutes sous la pluie alors que la voiture pourrait très bien nous amener jusqu'à la porte, mais je ne tiens pas à ce qu'on me voie sortir d'une limousine. Je comprends la discrétion de Corentin.

Bruno nous lance chacun un parapluie depuis son siège à l'avant de la voiture.

– Bonne première journée d'école, les amis ! Hé ! Hé ! Hé !

Chapitre 6

Où est passée Cendrillon ?

La salle F grouille d'étudiants énervés équipés de sacs, crayons et autres bidules qui sentent le plastique neuf. Nous sommes en secondaire 2, désormais. Nous ne sommes plus les « bébés » de l'école. Juste ça, c'est un baume sur mon cœur. Marie-Douce est nerveuse, ça se voit rien qu'à regarder les plis sur son front et ses sourcils froncés. Pour être franche, je trouve qu'elle devrait entrer dans l'école le menton en l'air. Elle est grande, magnifique et transformée.

Ce matin, je l'ai maquillée pour accentuer de façon discrète le bleu de ses yeux. Ça la change, c'est fou ! Elle possède toute une panoplie de produits de beauté d'excellente qualité. Je me suis mordu l'intérieur des joues tant j'étais jalouse. Lorsque Marie-Douce m'en a donné la moitié pour me faire plaisir, j'ai eu un motton d'émotion dans la gorge.

Plusieurs têtes se retournent sur son passage, et pas seulement celles des garçons (dont Samuel Desjardins, grrr !). Comme il fallait s'y attendre, Érica est encore accrochée au bras de Samuel, (je pense que je vais vomir). Alexandrine est dans un autre coin de la salle, flanquée de Clémentine-la-muette, de Dariane St-Cyr et de Mathilde Beauchemin. Elles discutent entre elles, puis, une à une, nous regardent discrètement. Elles parlent de nous, c'est clair.

Je comprends que nous soyons une curiosité. D'un, plusieurs semblent ne pas reconnaître Marie-Douce, alors que les autres se retournent par deux fois pour être sûrs que c'est bien elle. J'avoue que ça surprend. De deux, ils sont curieux de savoir si nous allons nous entretuer, puisque la dernière fois que nous avons été vues ensemble, c'était lors de l'incident du t-shirt de Duran Duran. Ils seront déçus. Marie-Douce et moi, nous sommes des sœurs et rien ne changera ça.

Nous sommes liées solidement, désormais. Vrai, je suis un peu désappointée qu'elle ne m'ait pas tout raconté au sujet de Corentin qui est amoureux d'elle. Il me semble que c'était une information primordiale. Surtout que ce n'est pas qu'un petit béguin de passage. Corentin est déprimé, le pauvre garçon. Ce que je ne comprends pas, c'est pourquoi Marie-Douce ne l'aime pas en retour. Ce n'est pas comme s'il était un peu niaiseux, un peu laid, un peu petit ou gros ou trop maigre ou je ne sais trop quoi ! Il est parfait ! Peut-être trop ? Je suis convaincue qu'ils feraient un couple génial. Elle est sans faille, il est sans défaut, ils ne se chicaneraient jamais ! Et il la défendrait contre tous ces idiots qui la regardent maintenant comme si elle était une bête curieuse. D'ailleurs, rien qu'à voir comment il la regarde, on comprend très vite que personne ne pourra lui faire de mal sans d'abord lui passer sur le corps. Corentin ressemble à un lion qui veille. Ce qui est malheureux, c'est qu'il ne sourit plus comme avant.

Je n'étais pas avec eux, en France. Je n'ai pas été témoin des événements qui les ont menés à cette situation. Est-ce que Corentin a commis une gaffe irréparable? Est-ce que Marie-Douce aime quelqu'un d'autre? Si oui, alors qui? Un beau petit *Français* de Paris? Il faudra découvrir le pot aux roses. M'aurait-elle menti? Peut-être qu'elle est amoureuse de Corentin et qu'elle était trop gênée pour me l'avouer? Devrai-je lui tirer les vers du nez ou se confiera-t-elle à moi le moment voulu? Ça reste à voir...

Perdue dans mes pensées, je n'ai pas vu arriver Constance flanquée de sa nièce Samantha qui sautille sur place, comme d'habitude.

– Saluuuut les filles! s'exclame Samantha. Oh mon Dieu, vous êtes ensemble! On ne savait plus si vous seriez des amies ou quoi...

– Samantha, ferme-la! Salut, Laura. Allô, Marie-Douce! Dis donc, t'as changé durant l'été, y a pas à dire, fait Constance avec un sourire un peu forcé.

Je laisse Marie-Douce retrouver son amie et je cherche du regard mes autres copines. Ouffff! Ça fait du bien de m'éloigner de Samantha! Elle est en grande forme ce matin, elle me tape sur les nerfs. Et où est donc passé Corentin? Il n'a pas beaucoup parlé depuis sa confidence d'hier. Je dois m'assurer qu'il va bien!

Je tente de traverser la horde d'élèves qui parlent à tue-tête dans la salle F pour retrouver mon ami lorsque je tombe de nouveau sur Erica St-Onge et Samuel Desjardins. C'est à croire qu'ils ont fait exprès de se mettre sur mon chemin! Ah non, voilà aussi Alexandrine et ses acolytes. Je me demande si Clémentine va parler, cette année. Son petit spectacle de muette commence à ressembler à une blague qui dure depuis beaucoup trop longtemps.

Un rassemblement semble s'opérer autour de Marie-Douce. La salle F est un gros carré longé de rangées de casiers. De longues tables sont mises à la disposition des élèves. Je suis bien tentée de monter sur l'une d'elles pour leur crier ma façon de penser, mais je ne crois pas que le directeur apprécierait mon geste d'éclat le tout premier jour d'école. Je vais donc me contenter de m'immiscer dans le groupe de curieux et m'exprimer sans me gêner.

Corentin vient d'apparaître derrière une Marie-Douce rouge comme une tomate, les bras croisés comme s'il se prenait pour son garde du corps.

Est-ce ainsi que ça va se passer, cette année ?
Corentin devra se changer les idées, il ne pourra pas
vivre dans l'ombre de Marie-Douce jusqu'en juin !

— Lâchez-la un peu, bande de curieux ! Vous
voyez bien qu'elle ne peut pas respirer. Elle a juste
grandi et s'est fait couper les cheveux ! Y a pas de
quoi en faire tout un plat ! Et pour votre info, on s'est
réconciliées et tout va bien !

Les murmures renaissent parmi nos camarades,
quelques tablettes électroniques passent de main en
main. Les uns et les autres s'exclament, j'entends
des « Oh ! » et des « Woah, c'est elle ! »

— Désolé, Laura, dit Maurice Gadbois. Nos
questions n'ont rien à voir avec toi, mais plutôt avec
ça !

Il me tend son iPod : l'image est petite, mais je
crois bien reconnaître Marie-Douce en compagnie
des gars de Full Power dans un magazine mondain
français. De plus, il y a un sous-titre où Harry Stone
lui-même déclare : « Où est passée ma Cendrillon ? »

Mon cœur s'arrête. Je me retourne vers ma sœur.
Elle est blanche comme un drap.

Chapitre 7

Tête à tête dans les toilettes

Eh bien, voilà. Moi qui voulais faire un retour discret à l'école, c'est raté. C'est plus que raté, c'est un réel cauchemar. Pourquoi est-ce que ça m'arrive à moi, des choses comme ça? Plein d'autres filles auraient adoré ce genre d'attention! Je n'ai pas demandé à rencontrer Harry Stone, encore moins à ce qu'il me mentionne dans un journal à potins avec ma face en gros plan! Sa Cendrillon… pffff… A-t-il dit une chose pareille pour de vrai?

Cette situation me cause un sérieux problème. Je me sens mal lorsque tout le monde me regarde et parle de moi, c'est génétique, je crois. OK, Miranda n'a peut-être pas ce gène de la timidité maladive, mais mon père est un peu comme ça. J'aime être dans ma bulle, pouvoir me cacher. C'est peut-être pour ça que j'ai besoin de danser et de pratiquer le karaté. Ce sont deux sports solitaires (je suis pourrie dans les sports d'équipe) que je peux exercer en secret. C'est ironique, puisque la danse est un art de la scène. Sur scène, lors des spectacles (et ça fait longtemps que je n'en ai pas fait), je suis maquillée, déguisée, mes cheveux sont ramenés en un chignon serré; je ne me ressemble plus vraiment. Et le karaté! Que dire de plus qu'il sert à savoir me défendre? Encore mon mur protecteur qui se dresse devant moi. J'étais une enfant anxieuse, mon père a pris les moyens pour m'aider en m'inscrivant à ces activités. Je suis encore comme ça, ça paraît juste moins. Mais là! La publication de cette photo empire ma peur du monde. Moi qui faisais de si beaux progrès...

Je suis touchée que Laura ait tenté de me défendre, mais dès qu'elle a vu l'article sur l'iPod de Maurice, elle était sous le choc elle aussi. Mon statut de souris grise qui se faufile incognito sous les bancs est bel et bien mort et enterré. Désormais, je suis celle qui a côtoyé des *stars*. Je ne me suis même pas rendu compte que quelqu'un prenait cette photo. Tout s'est passé si vite.

En panique, je me suis sauvée dans les toilettes, laissant tout le monde en plan avec cette trouvaille excitante. Corentin, Laura et moi, on s'est bien entendus dans la limousine ce matin sur le fait que personne ne doit savoir d'où nous venons, où Corentin habite et qui est son père. Déjà que l'an prochain, Valentin Cœur-de-Lion apparaîtra dans un téléroman québécois, nous voulions conserver l'anonymat jusqu'à ce que ce soit impossible de nous cacher.

Les jeunes de Vaudreuil-Dorion n'ont pas vu les films dans lesquels Valentin est apparu pour la simple et bonne raison qu'il s'agit de films européens classés « adulte ». Mon père, lui, l'avait reconnu sans l'ombre d'une hésitation au premier regard. C'est peut-être pour cette raison qu'il est si différent lorsqu'il lui parle. Je n'ai pas souvent vu mon père intimidé, mais avec Valentin, il fait attention à sa diction. J'espère que ça passera avec le temps et l'habitude parce que, dans le fond, c'est juste un acteur aux dents passées à l'eau de Javel, pas un dieu. Du moins, pas à ce que je sache !

Une chance que je ne porte pas de maquillage comme Miranda me forçait à en mettre à Paris. Laura a fait attention de n'appliquer que le strict minimum sur mes yeux. Je ne voulais pas être méconnaissable !

Les mains sous l'eau tiède, j'achète du temps. Je ne veux pas retourner dans la grande salle. La porte s'ouvre et quelqu'un est derrière moi. Non, pas quelqu'un. Plusieurs personnes. Je les vois dans le miroir. Elles sont trois : Alexandrine Dumais, Clémentine Bougie et Dariane St-Cyr. Elles sont tout sourire. Même Clémentine semble avoir l'air joyeux, chose qui n'est pas coutume.

– Salut, Marie-Douce ! s'exclame Dariane. On dirait bien que l'année commence bien pour toi ! Une photo avec le beau Harry Stone ! Wowwww ! Je suis jalouse !

Dariane St-Cyr, je l'ai connue dans mon cours de danse. Elle habite à Pincourt. On se faisait souvent la compétition pour le premier rôle lors des spectacles. Je gagnais tout le temps, mais elle gardait son sourire en me disant « si tu te casses une jambe, je serai prête ! » Je me suis souvent demandé si, au fond, ce n'était pas son souhait le plus cher. Je ne le saurai sans doute jamais et c'est mieux ainsi…

Même si, de son côté, Alexandrine fait un sourire en coin, rien n'impressionne cette fille. Laura m'a prévenue à son sujet. Je dois faire attention avec elle.

— Alors comme ça, t'as vécu la grande vie ? ajoute cette dernière. J'aimerais beaucoup que tu me racontes ça…

Ouais, veux-tu échanger ta vie contre la mienne ? Je prendrais bien une petite pause de quelques heures pour me remettre de ce qui se passe !

En écho, j'entends la voix de notre directeur, monsieur Tranchemontagne, au micro. Il semble donner des directives pour la rentrée des classes. Je déteste manquer les informations scolaires !

— Un jour peut-être ! dis-je en souriant.

Après tout, elle ne m'a rien fait. Du moins pas encore…

– Viens nous voir à notre *spot* habituel à la prochaine pause. On t'attend.

Minute ! Elle ne va pas commencer à me donner des ordres !

D'un autre côté, il y a une petite fille gênée en moi qui jubile de se faire approcher de la sorte par nulle autre que la belle et respectée Alexandrine Dumais. *Stop !* Il ne faut pas me laisser impressionner de la sorte ! Après tout, n'est-ce pas moi qui ai tous les honneurs, ce matin ? Cela décidé, je lève le menton sans toutefois paraître trop arrogante. Alexandrine est reconnue pour être une amie sincère avec ses acolytes, mais aussi, une ennemie formidable avec ceux et celles qui refusent son amitié.

– Une autre fois, OK ? Ça me fera plaisir de tout te raconter.

– Est-ce que t'es rendue amie avec Laura St-Amour pour de vrai ? demande-t-elle derrière moi, alors que j'approche de la porte.

Je me retourne pour soutenir son regard.

– C'est comme ma sœur maintenant. Elle est plus que mon amie. Pourquoi ?

– Ta sœur ? Drôle comme les choses peuvent changer.

– En effet !

Puis, je soupire.

— Écoute, Alexandrine. J'étais pas là, je ne connais pas toute l'histoire, mais je sais qu'entre Laura et toi, c'est compliqué. Mêlons pas les cartes, OK? Laura, c'est Laura, et moi, c'est moi.

— Faut pas croire tout ce que Laura te dit, Marie-Douce! Je ne suis pas la méchante ici!

— J'ai pas dit que t'étais la méchante. Je veux juste ne pas être mêlée à vos histoires.

— Eh bien, message reçu.

Je vais répondre, mais la porte s'ouvre d'une façon si brusque que je manque de me faire assommer. Constance apparaît devant nous, l'air alarmé.

— Les filles! Vous êtes en retard pour votre premier cours!

Chapitre 8

Ze question

Je voulais suivre Marie-Douce aux toilettes pour ne pas la laisser seule avec sa panique. Par malheur, monsieur Tranchemontagne s'est posté droit devant moi avec son micro pour nous parler de la nouvelle année qui commençait. Avec tout ce chahut autour de cet article au sujet de ma sœur, j'ai voulu aller la retrouver, mais Corentin a attrapé mon bras pour me parler.

– Laisse-la pas toute seule !

– C'est ça que j'essaie de faire... Zut, Alexandrine l'a suivie !

– Et alors ?

– Longue histoire que t'as manquée parce que tu te tenais avec les vedettes à l'autre bout du monde. Disons juste qu'Alexandrine et moi, c'est pas l'amour fou. Maintenant, elle va essayer de s'approprier Marie-Douce !

Monsieur Tranchemontagne lit sa feuille des règlements de l'école avec un œil sévère posé sur moi. Je comprends assez vite qu'il veut que nous cessions de parler pour écouter son discours ennuyant.

La cloche sonne. Je ne peux pas croire que mon année débute avec un cours de mathématiques. La première personne que je retrouve dans le local, c'est Samuel Desjardins. Mon cœur fait un soubresaut. Il se dirige vers le fond de la classe. Je ne suis pas surprise. *Mon Dieu, faites qu'il ne prenne pas une place à la toute dernière rangée !* S'il s'assoit trop près du mur, je ne pourrai pas m'installer derrière et le regarder tout le long du cours. Gloire et bonheur, Maurice Gadbois a été plus rapide, et Samuel doit prendre l'autre place devant. Avec des yeux de biche, je fais signe à Constance de me laisser son pupitre. Elle regarde son neveu, me dévisage et comprend tout de suite la raison de mon désespoir ; je le vois au petit sourire qu'elle me fait.

Même si je ne lui ai jamais avoué que je suis folle de Samuel, Constance n'est pas idiote. Elle l'a remarqué durant l'été. Elle se lève, non sans chantonner sa petite victoire lorsqu'elle passe devant moi. Je m'approprie cette chaise de choix, en diagonale derrière lui, en remerciant mon amie qui peut lire sur mes lèvres un grand « merciii ». Voilà ! Ainsi installée, je pourrai admirer le dos de Samuel. Toutefois, avec Maurice à ma droite, il faudra que je sois subtile.

Maintenant, prions pour qu'une certaine Érica ne fasse pas son apparition dans cette classe ! Puisqu'elle est collée à Samuel comme un diachylon la plupart du temps et qu'elle n'est pas encore ici, je suppose avec bonheur qu'elle ne sera pas avec nous en maths. *Yesss…*

L'avant-midi se révèle être une perte de temps. Comme tous les premiers jours de chaque année, soit les profs ont oublié leur matière durant l'été, soit ils ont peur de nous effrayer en démarrant l'année de façon trop brusque. Peu importe, je dois admettre que ce n'est pas désagréable de ne pas avoir à me concentrer pour les écouter donner des directives générales que je connais déjà.

Lorsque la mélodie de la cloche résonne pour le dîner, je descends à la salle F pour rejoindre mes amis. C'est à la cafétéria que se révéleront les vrais enjeux.

Qui dînera avec qui et à quelle table ?

Chapitre 9

L'Écho de la Cité

Un premier avant-midi de terminé! Ce fut long et angoissant. Dans le cours d'arts plastiques, il a fallu que monsieur Thivierge confisque le cellulaire de Dariane St-Cyr. Elle ricanait avec Mathilde Beauchemin devant son petit écran. Mathilde, c'est la fille fonceuse qui pratique tous les sports du monde. Elle fait partie de la gang d'Alexandrine, mais d'après moi, elle n'a pas beaucoup de temps à consacrer aux copines. Après le hockey, le volley-ball et le ski alpin, il ne doit pas lui rester beaucoup de temps. Elle est belle (évidemment, aucune des amies d'Alex n'est un pichou, elle ne saurait pas le tolérer) avec ses longs cheveux châtains aux boucles parfaites. Je ne voudrais pas être à sa place et avoir à démêler cette tignasse spectaculaire! Elle ne m'a jamais vraiment parlé à part pour me demander ma gomme à effacer dans le cours de français, l'an dernier.

— Dois-je répéter que les cellulaires, iPod, tablettes, ordinateurs et machins électroniques de toutes sortes sont interdits dans ma classe?

Notre professeur a saisi l'appareil pour poser un œil sévère sur l'écran. Il a tout de suite relevé les yeux vers moi, pour examiner l'image de nouveau. Je n'ai pas eu besoin d'une longue explication pour comprendre que les filles regardaient ma photo. Encore !

Depuis ce matin, partout où je vais, on se retourne, on me sourit, on trouve un prétexte pour me parler. Ce n'est plus de la simple popularité, c'est une admiration collective spontanée. Même les gars de l'équipe de hockey se sont mis à me pointer du doigt. Parmi eux, il y a Samuel Desjardins et Maurice Gadbois, les inséparables ! Maurice, avec sa face joufflue, est toujours aussi frisé et Samuel fait autant soupirer les filles que l'an dernier. Il a encore embelli, si c'est possible ! Dommage qu'Érica St-Onge soit pendue à son bras comme une mousse qui ne part pas. C'est bizarre, l'an dernier, je le trouvais de mon goût, et cette année, je ne le vois qu'en tant que beau garçon agréable à admirer de loin. Il faut dire que j'ai maintenant d'autres soucis…

Je sais, grâce aux dires, murmurés en douce, de Constance, qu'il y a aussi ceux qui me méprisent. Pour quelle raison ? C'est difficile à dire. Mon père me dira qu'ils ne sont qu'envieux des privilèges extraordinaires qui m'ont été octroyés. Moi, je crois plutôt que c'est parce qu'ils sont convaincus qu'une fille comme moi (l'ancienne souris grise discrète et plate) n'a « pas d'affaire » à accéder au « grand monde », c'est-à-dire à celui des célébrités.

Dariane m'a fait savoir que certains ont chuchoté que les Full Power étaient le groupe le plus quétaine de la Terre et que, même s'ils en avaient eu l'occasion, ils ne leur auraient pas adressé la parole. Ah ! J'aimerais bien les voir, moi, dans la même situation. Ces garçons-là ont conquis la planète entière, c'est sûr que ça impressionne de les voir en vrai, de leur parler comme s'ils étaient nos copains. Quétaines ou pas, ce n'est pas tous les jours que ça arrive. En tout cas, pas à moi !

Avec tout ce qui se passe depuis ce matin, je suis distraite. J'aurais envie d'être seule avec moi-même pour manger mon lunch. Je ne sais pas qui sera avec qui, mais je ne souhaite que déguerpir. Je décide de me fondre dans la foule qui marche vers la cafétéria et de bifurquer en douce pour aller voir les gens du journal étudiant. L'an dernier, c'était un petit groupe d'élèves tranquilles. Léo, Coralie, Simone, tous des intellos sans histoire. Lorsque Constance était absente, j'esquivais Samantha et j'allais jaser avec eux. Ils auraient bien voulu que je participe au journal, mais avec mes devoirs, le ballet et le karaté, j'en avais plus qu'assez.

Dès mon entrée, trois têtes se retournent et ce ne sont pas celles que je m'attendais à voir! Zut et re-zut. Dariane et Mathilde mangent leur lunch devant deux ordinateurs. Clémentine Bougie se tient à l'écart, elle joue à un jeu de cartes sur un autre ordinateur. Alexandrine Dumais se lève dès qu'elle me voit entrer.

— Où est Léo?

Alexandrine fronce les sourcils.

— Léo est en secondaire 3, il est rendu dans l'autre édifice.

Pareil pour Coralie et Simone, donc. À notre école, les élèves de secondaire 1 et 2 sont réunis dans la salle F, les élèves de secondaire 4 et 5, dans la salle G du même bâtiment. Pour une raison qui m'échappe, en secondaire 3, on nous envoie dans un autre établissement. Certains appellent ça le « purgatoire », un passage obligé avant d'accéder aux « bonnes années », c'est-à-dire celles des finissants. Tout ça pour dire que le journal est désormais envahi par Alexandrine et sa gang.

Tout à coup, j'ai peur. Après notre petite conversation dans les toilettes… je commence à comprendre ce qu'elle cherchait! Elle a tout de suite trouvé un article intéressant pour le journal. Ah non! Ça ne se passera pas comme ça!

— Alors… c'est toi qui diriges *L'Écho de la Cité* maintenant ?

— Ouais… et j'ai aussi mis la main sur la radio étudiante. Tu veux participer ? C'est pour ça que t'es ici ?

Je secoue la tête. Devenir journaliste est bien loin de mes pensées, surtout après ce qui s'est produit !

— Non… je ne voulais que manger avec Léo et les autres, dis-je en lui montrant mon sac rose et blanc contenant mon repas. J'ai oublié qu'ils avaient changé de bâtisse.

Le sourire d'Alexandrine s'élargit. Je vois dans son expression quelque chose de chaleureux, d'invitant. On dirait presque qu'elle m'aime déjà comme une amie. Cette fille est dotée d'un charme fou !

— Viens manger avec nous quand même. T'es la bienvenue quand tu veux !

Chapitre 10

Casseuses de rêve

Voilà déjà quinze longues minutes que Corentin, Constance, Samantha et moi attendons Marie-Douce à l'entrée du tunnel qui mène à la cafétéria. Tous les quatre, nous faisons les cent pas, comme des idiots. Je suis affamée, énervée et impatiente. Il n'est donc pas surprenant que je me fâche contre Samantha qui n'améliore pas la situation juste en étant… elle-même.

— Arrête de parler, Samantha! Tu me tapes sur les nerfs!

La bouche ouverte, elle rougit de honte. Encore heureux qu'elle ait cette réaction, ça veut dire qu'elle est consciente de son comportement!

— Hé, j'ai rien dit de mal! Juste que c'est looooong et que j'ai faaaaim! Mais où est-ce qu'elle est passée? Penses-tu qu'elle se cache? C'est bien possible! Telle qu'on la connaît, elle peut être en train de vomir dans les toilettes!

— Nous aussi on a faim, imagine-toi donc!

Corentin, dos appuyé contre le mur de briques, se redresse.

— Allez-y, je vais essayer de la trouver.

— Bonne idée! déclare Constance qui ne voulait pas attendre depuis le départ.

J'arrête mon ami d'une main sur son bras.

— Non, viens manger. Elle a peut-être été retenue à cause de l'article. Le directeur est sans doute sur son cas.

— C'est pour ça que je veux en avoir le cœur net. J'ai pas faim de toute façon.

Il tourne les talons et retourne vers la salle F.

À la cafétéria, j'ai des yeux tout le tour de la tête. Je ne vois pas Alexandrine, ni sa gang. Ça, ça m'inquiète beaucoup. Même si elles mangent dans le local du journal, elles finissent toujours par venir flâner à la cafétéria. Toujours est-il que même si mon estomac crie famine, j'ai perdu l'appétit moi aussi. C'est dommage, parce que Gisèle, la cuisinière de Corentin, m'a préparé tout un festin. Et là, juste parce que Marie-Douce manque à l'appel, je ne peux pas avaler une seule bouchée !

Je referme mes plats Tupperware et je croise les bras sur la table. Samantha parle la bouche pleine, c'est dégueulasse. Il faudrait faire quelque chose avec cette fille, l'envoyer prendre des cours de bonnes manières ou un truc du genre. Miranda doit avoir des contacts pour lui trouver un bon prof privé qui lui apprendrait à bien se tenir à table !

Dommage que je ne puisse pas lui payer ça moi-même, ça rendrait service à tous ceux qui doivent l'endurer.

Constance semble bien prendre le fait que Marie-Douce ne se soit pas jointe à nous pour le premier dîner. Elle change de sujet lorsque nous mentionnons ma sœur, nous parle plutôt de son nouvel engouement pour le *cheerleading*. Elle s'est inscrite cette année et espère que je me joindrai à l'équipe.

— Je m'en fiche, moi, des pompons! Je suis inquiète pour ma sœur.

— C'est pas vraiment ta sœur... me corrige-t-elle, sans me regarder.

— C'est vrai, ça! renchérit Samantha.

Nous y voilà! Marie-Douce l'avait prédit! Même si je m'y attendais, leur refus d'accepter que Marie-Douce et moi soyons désormais des sœurs (même plus que ça!) me blesse. Faut-il absolument des liens génétiques pour être une famille?

— Si au moins vos parents étaient mariés, là je ne dirais pas ça... mais juste parce qu'ils vivent ensemble, ça ne fait pas de vous des sœurs. Désolée, Laura.

La voix de Constance est neutre alors qu'elle brise mon univers comme s'il s'agissait d'une blague. Vais-je me laisser convaincre ? Il n'en est pas question !

Grrr… Les mots de Constance font leur chemin trop facilement dans mon esprit. Même si je la trouve vraiment plate de « péter ma bulle », elle marque un point. Il faudrait qu'Hugo et Nathalie se marient. Là, ce serait officiel et personne ne pourrait venir amoindrir notre lien !

— Même que leur mariage ne suffirait pas. Il faudrait aussi que Hugo t'adopte, ajoute Constance, comme si elle lisait dans mes pensées.

Ce commentaire me rentre dans le corps comme un train. Ça, c'est chose impossible. Il faudrait d'abord que mon père me renie, non ? Quoique, selon ce que j'ai vu depuis son retour, c'est déjà à moitié fait. Mon père a une nouvelle famille, il n'a plus rien à me dire. Je ne l'intéresse pas. Mais de là à laisser Hugo m'adopter, non, il ne ferait jamais ça.

— Tu peux dire que c'est ta sœur tant que tu veux, ajoute Samantha. Pour le *fun*, c'est pas grave. On va te laisser le croire parce qu'on est tes amies.

Je roule les yeux au plafond.

— Merci Sam, mais votre opinion sur le sujet ne compte pas vraiment !

Quelle mauvaise menteuse je fais! Elles ont brisé mon rêve.

Les tables de la cafétéria sont longues et munies de bancs sans dossier. À l'autre bout de notre table, Samuel mange avec ses nouveaux amis. Erica est assise à côté de lui. Elle semble tenter de se mêler à la conversation, mais personne ne l'écoute. Est-ce que ça me fait de la peine? Ooooon! Pauvre Érica! *#noncertain*

Les amis de Samuel font partie de son équipe de hockey. Ils sont de niveau bantam depuis cette année. Ces gars-là ne pensent qu'à leur rondelle et aux statistiques des Canadiens de Montréal. Sauf Samuel, qui soutient toujours les Bruins de Boston. La vie est mal faite. Érica ne connaît rien au hockey alors que moi, je ne rate pas un seul match à moins qu'il ne soit diffusé trop tard le soir en pleine semaine. La saison n'est pas commencée, mais déjà, on discute des contrats négociés durant l'été. Il y a de quoi alimenter des conversations très intéressantes! Il me semble que ça devrait être MOI qui sois assise à la place d'Érica, avec la main de Samuel sur mon genou. Je soupire, c'est beau rêver. J'ai tout gâché. Plusieurs fois en plus. Par orgueil, j'ai laissé croire à Samuel que je ne voulais rien savoir de lui. Arrffff…

Il est déjà l'heure de retourner en classe. Je sens que l'après-midi sera interminable.

Chapitre 11

La sœur poche

J'ai mangé avec celle que Laura surnommerait « l'ennemie ». À ma grande surprise, Alexandrine se révèle être une fille très *cool*. Nous avons jasé comme si nous nous connaissions super bien depuis l'enfance. En réalité, elle a toujours été dans mon décor, mais je m'en suis tenue loin. Elle était la fille dégourdie, et moi, l'enfant invisible. Elle m'a dit être étonnée de voir à quel point je suis mature et intéressante. Même si le compliment vient d'une fille de qui je devrais me méfier, selon les dires de Laura, je n'ai pas pu m'empêcher d'en être flattée.

En sortant du local du journal, j'aperçois Corentin assis sur un banc de la salle F, concentré sur un livre. Quelques autres étudiants sont revenus de la cafétéria, l'endroit commence à reprendre vie. Même si je m'approche et que je l'interpelle, il ne lève pas les yeux. Je vois bien que quelque chose ne va pas. Je ne suis pas idiote.

– Hé, qu'est-ce que tu fais là ? T'es pas allé manger avec les autres ?

– Non, j'avais pas faim, répond-il, toujours sans me regarder.

Il ferme son livre ou, plutôt, le claque d'un geste brusque. C'est clair, il est en furie contre moi.

– Ah...

– C'est tout ce que t'as à dire ? demande-t-il.

— T'as l'air fâché et je ne sais pas pourquoi !

Il se lève. Je remarque à quel point il est devenu grand.

— T'as dîné avec qui ?

— Quoi ?

— Laura t'a attendue quinze minutes avant de se décider à manger sans toi avec Constance et Samantha. Comme vous êtes des « sœurs pour la vie », elle a cru que tu mangerais avec elle ! T'étais avec qui, Marie ?

Je baisse la tête, honteuse de la seule vraie réponse que je dois lui donner. Manger avec Alexandrine, c'était un pur accident. Elle était devant moi, j'avais mon lunch, elle m'a invitée à m'asseoir, j'avais besoin de me changer les idées. La fille est charmante comme ce n'est pas possible. D'ailleurs, elle vient de sortir du local et de me faire signe. Puis-je lui sourire sans me faire lyncher ? Avec un demi-sourire dans la direction d'Alexandrine, je me concentre sur ma conversation avec Corentin.

— J'ai voulu aller voir Léo au journal, j'avais oublié qu'il serait remplacé puisqu'il a changé d'édifice. Alexandrine Dumais était là et…

Corentin secoue la tête, les mains sur les hanches.

— T'as laissé tomber Laura pour manger avec Alexandrine, termine-t-il à ma place. Bravo.

— Dit comme ça, j'ai l'air d'un monstre.

Corentin soupire et me couvre de son regard bleu. Son expression s'est radoucie.

— On ne lui dira pas, m'offre-t-il en se rassoyant à côté de moi.

— Je suis une sœur poche. Laura va me *flusher* et elle aura raison !

— Arrête de t'en faire.

D'ordinaire, il aurait entouré mes épaules de son bras, je me serais collée contre lui et il m'aurait réconfortée. Maintenant, c'est… différent. Il se tient à plusieurs centimètres de façon à éviter de me toucher. On dirait qu'il me glisse entre les doigts. Peut-être qu'il a cessé de m'aimer d'amour. Je ressens un vide douloureux rien qu'à imaginer que ce soit le cas. J'ai l'impression d'avoir froid, tout à coup.

— Je ne veux rien lui cacher.

— Elle va te bouder si elle apprend la vérité, je t'avertis.

— Je préfère qu'elle soit déçue maintenant plutôt qu'elle le découvre plus tard et qu'elle perde confiance en moi.

Pour la première fois depuis deux jours, Corentin sourit.

– C'est très mature de ta part. Bravo. Assure-toi seulement que je ne sois pas là quand tu vas lui dire, OK ?

– Très drôle…

La salle commence à grouiller d'élèves qui claquent leurs casiers. Les cours reprennent dans cinq minutes. Selon mon horaire, je vais en français. J'espère ne pas connaître trop de monde dans cette classe. C'est fou comme j'ai besoin d'avoir la paix aujourd'hui !

Chapitre 12

La sangsue
et l'assoiffée

La fin de cette première journée s'est fait désirer! Je n'en pouvais plus de me faire répéter les règlements de l'école par chacun des profs. D'autant plus que je n'ai pas eu le temps de parler à Marie-Douce à mon retour de la cafétéria parce que la cloche a sonné. Bon, j'avoue, j'ai un peu traîné parce que Samuel et ses copains marchaient devant nous dans le tunnel qui relie l'école et le centre culturel, là où se trouve la cafétéria.

De connivence avec Constance qui a, depuis ce matin, bien compris que Samuel ne m'était pas indifférent (ça fait du bien d'avoir une alliée, j'aurais dû lui dire avant!), nous avons ralenti le pas. Par chance, Samantha était partie loin devant! Avec sa grande trappe, c'est certain qu'elle m'aurait mise à découvert!

— Tu veux que j'attire son attention? m'a demandé Constance.

— Non! Attendons que son chien de poche ne soit pas dans les parages.

Par chien de poche, je faisais référence à Érica St-Onge. Elle était encore pendue à son bras, il fallait qu'on chuchote pour ne pas qu'elle nous entende parler de son chum.

— OK, t'as raison. T'aurais dû me le dire avant, Laura. J'aurais pu t'aider avant que cette... folle-là se jette dessus. Mon neveu ne sait pas qu'il peut avoir mieux qu'elle. C'est con un gars, j'en reviens pas.

C'était gentil de la part de Constance de dire ça, mais je connais Érica. N'ai-je pas succombé à son charme pendant longtemps ?

— Elle sait se faire aimer. Je ne suis pas surprise qu'elle l'ait séduit.

— Pffff… Samuel a l'air de se ficher d'elle, je trouve, a affirmé Constance.

Les paroles de mon amie ont fait vibrer mon cœur. Un espoir nouveau m'animait soudain.

— Pourquoi tu dis ça… ?

Elle m'a donné un coup de coude avant d'incliner la tête pour s'approcher de mon oreille.

— Regarde-les avec attention. C'est toujours elle qui se colle dessus, on dirait une sangsue.

— Ah ouais…

Je buvais ses paroles, une vraie assoiffée !

— Et Samuel ne parle jamais d'elle. Il vient souvent chez moi pour voir mon père, qui est, comme tu le sais, son grand-père. On jase de plein de choses, mais jamais d'Érica. Si je la mentionne, il change de sujet !

— Wow…

Mon amie m'a dévisagée un instant, cessant de marcher.

— Coudonc, toi… t'es en pâmoison solide devant Samuel. Je ne peux pas croire…

— Non! Euh… pas tant que ça! Et puis chhhhut, ils vont t'entendre.

Il doit avoir des oreilles bioniques, parce que c'est cet instant précis qu'a choisi Samuel pour se retourner. Avec Érica accrochée à son bras, il a regardé sa tante, Constance, en fronçant les sourcils.

— Qu'est-ce que vous foutez derrière?

— Rien! a-t-elle répondu. Pourquoi? On te dérange?

— Vous ME dérangez! est intervenue Érica. Arrêtez de nous suivre comme des petites niaiseuses!

Oh! Celle-là, elle va me rendre folle! Depuis que je l'ai éliminée de mes fréquentations en lui disant ADIEU sur la messagerie instantanée, nous ne nous sommes pas adressé la parole. J'ai même évité de croiser son regard. En plus, elle avait fait une poupée vaudou de moi et m'avait pas mal maganée! J'ai même l'impression que tous mes malheurs avec Marie-Douce au printemps dernier étaient dus aux aiguilles qu'elle avait plantées dans ma poupée!

Contre toute attente, Samuel s'est arrêté avec un mouvement pour libérer son bras de l'emprise de sa blonde.

– Érica, parle pas à Constance comme ça! C'est pas parce qu'on sort ensemble que tu peux ridiculiser ma famille!

En disant cela, Samuel ne regardait pas dans la direction de Constance, mais bien dans la mienne. Tout ce que j'ai trouvé à faire fut un sourire pincé, même si j'ai dû me retenir pour ne pas me jeter dans ses bras pour avoir remis Érica à sa place. Sur ce, nous avons pressé le pas pour les dépasser. J'ai dû faire appel à toute ma volonté pour ne pas me retourner pour voir comment Érica allait se sortir de ce terrible faux pas.

Avec toutes ces émotions et cette perte de temps, nous sommes arrivées juste à temps pour prendre nos livres et nous rendre en classe. J'ai vu Marie-Douce monter vers son cours, Corentin sur les talons.

Voilà la dernière cloche de cette journée de fou qui résonne enfin. Marie-Douce m'attend près de ma case, Corentin derrière elle.

– Dépêchez-vous, il faut y aller avant que Constance et Samantha nous suivent. Elles prennent le même chemin !

Chapitre 13

Un virus qui fait jaser

Il faudra trouver un autre endroit pour monter et descendre de la limousine, sans quoi nous serons repérés en un rien de temps ! Corentin nous raconte qu'il venait le plus souvent à vélo, même l'hiver. Il déteste l'autobus scolaire.

– J'ai toujours rêvé de prendre le bus, mais comme notre maison est trop près de l'école, c'était interdit, dis-je.

– Coco, demain, on prend le monstre jaune, renchérit Laura. Il doit bien y avoir un arrêt pas loin de chez vous !

– Il faut être inscrits pour ça !

Nous sommes dans la limousine arrêtée à la lumière rouge près du McDo. À travers les vitres fumées, je remarque que les gens tentent de voir qui peut bien être à l'intérieur de la voiture de luxe. J'ai le goût de baisser la vitre pour crier « regardez ailleurs, c'est pas Céline Dion ! »

Laura plisse le front, songeuse.

– On n'a rien à perdre à essayer. On a juste à monter dans le bus comme si de rien n'était ! C'est peut-être un chauffeur *cool* qui se fiche des cartes d'identité ! On est encore en début d'année, après tout !

– Les élèves dans le bus sont ringards.

— Arrête donc, répond Laura. Faut pas faire le snob! Allez… mon beau Coco…

— Si tu m'appelles une autre fois comme ça, je te mets la main dans l'eau pendant ton sommeil!

J'éclate de rire, mais Laura ne semble pas comprendre.

— Il paraît que ça fait faire pipi au lit!

Les yeux de ma sœur s'agrandissent, elle pousse Corentin de ses deux mains.

— T'avise pas de me faire un coup pareil! Ma vengeance sera terrible!

Corentin croise les bras, pas impressionné du tout.

— Alors je prendrai mon vélo et vous irez en bus.

— T'es donc ben snob, Corentin Cœur-de-Lion! s'exclame Laura.

— Ah non, alors! Si j'étais snob, je ne t'adresserais pas la parole! rétorque-t-il.

Laura détache sa ceinture pour se jeter sur notre ami.

— Ça, c'est juste chien! Tu l'auras voulu!

— Hé! T'as pas le droit de déboucler ta ceinture de sécurité! Bruno! Laura est un danger public!

Le chauffeur s'esclaffe en secouant la tête. Comme nous gardons toujours la vitre baissée entre la banquette avant et la cabine privée à l'arrière, Bruno fait partie de nos conversations.

– Tu l'as mérité, espèce d'andouille, répond notre chauffeur. T'as qu'à te défendre comme un homme !

Lorsque Corentin sort la langue pour feindre de lécher la joue de Laura, celle-ci se recroqueville sur ses genoux avec une expression de dégoût momentané.

– Aarrrrk ! T'es dégueulasse, Corentin !

Mon regard croise celui de Corentin alors qu'il continue de faire crier Laura en la chatouillant sans pitié. Les quelques brèves secondes qui suivent, il cesse de rire. Il me fixe sans rien dire jusqu'à ce que je détourne le regard. Laura, toujours crampée de rire, glisse des genoux de Corentin pour remonter sur la banquette en tentant de reprendre son souffle. Elle ne voit rien de notre échange.

– J'en reviens pas que t'aies essayé de me me licher la face !

– Laura… commence Bruno.

– Ça va, ça va, je me rattache !

Puis, elle relève la tête, ses cheveux ébouriffés. Ses joues sont encore rouges de toute cette excitation lorsque son regard passe de moi à Corentin.

– Bon! Qu'est-ce que vous avez encore? On dirait un salon mortuaire ici! Ah oui, et Marie-Douce, t'étais où ce midi? Je t'ai attendue super longtemps. Tu ne voulais pas manger avec moi? demande-t-elle.

À cette question, Corentin croise les bras, sourire en coin, dans l'attente de ma réponse. S'attend-il à ce que je mente? Il n'en est pas question! De toute façon, tout finit toujours par se savoir, surtout qu'Alexandrine Dumais se fera un réel plaisir de tout raconter à Laura juste pour lui faire de la peine.

– Après l'histoire de la photo sur le Web et toute l'attention de tout le monde, j'ai voulu avoir la paix pour manger. Je suis allée au local du journal, c'est là que j'allais souvent l'an dernier.

– T'aurais pu me le dire, j'y serais allée avec toi!

– Je t'ai pas trouvée. Je suis sortie de mon dernier cours un peu tard. Le prof voulait savoir c'était quoi cette histoire d'article…

Laura hoche la tête. Elle semble accepter mon histoire, qui n'est, Dieu merci, que la vérité sans tous les détails. Corentin, dans son coin, roule les yeux au plafond avant de diriger son regard vers l'écran de son iPhone.

La minute qui suit, il échappe un énorme juron.

– C'est pas possible ! C'est juste pas possible !

– Quoi ? demande Laura.

– La photo de Cendrillon, elle est virale.

Je cligne les paupières, incertaine de comprendre.

– Ce qui veut dire… ?

– Qu'elle est partagée partout, en milliers d'exemplaires. Tout le monde ne parle que de toi.

J'entends ses paroles, je comprends les mots, pourtant, la portée de ce que Corentin vient de m'annoncer prend plusieurs secondes à pénétrer dans mon esprit. Puis, je réalise ce qu'il vient de dire et la panique s'empare de moi.

Chapitre 14

La folie monte !

Vivre dans une maison, non, je dirais plutôt une « résidence » gardée secrète signifie de s'isoler dans un monde à part. C'est ce qui nous arrive à Corentin, Marie-Douce et moi. Il paraît que les travaux vont bon train chez Hugo et ma mère. Nous pourrons rentrer peut-être même plus tôt que prévu. Pour l'instant, je me vautre dans un luxe que je n'ai jamais connu avant. Je suis loin du petit appartement aux murs minces que j'occupais avec ma mère l'an dernier ! Alors que Corentin semble blasé de tout ce fla-fla, moi, je m'en accommode avec joie. La cuisine de Gisèle est exquise, mais un peu trop raffinée à mon goût. Des escargots à l'ail, même s'ils sont d'une qualité et d'une fraîcheur hors norme, ça reste des bestioles rampantes à la forme et à la couleur un peu, il faut le dire, *dégueu*.

Valentin et Miranda discutent politique et vie artistique. Elle force son accent pour plaire à son mari, c'est clair. Je devrais l'enregistrer et mettre ça sur YouTube. Voir une femme parler tantôt avec des « quessé que tu fais » pour ensuite l'entendre dire devant son auditoire *français* « que fais-tu ? », ça fait sourire une fille.

Je dois avouer que Miranda n'est pas que superficielle. Elle tient à ce que je sois bien chez elle et essaie d'apprendre à me connaître. Ne m'a-t-elle pas montré ses vieilles vidéos de culbutes de cirque? Peut-être voulait-elle m'impressionner. C'est ce que j'ai d'abord cru. J'ai changé d'idée lorsqu'elle m'a offert d'essayer le trapèze dans le gymnase de Marie-Douce. Activité que nous ferons à la première occasion, m'a-t-elle promis. Je ne suis pas sûre d'aimer ça, moi, avoir la tête à l'envers. C'est à voir...

Ce soir, j'aurais voulu avoir du temps avec Marie-Douce pour connaître son histoire. De ce qui s'est passé en France tout l'été, je n'ai eu que des bribes. Et là, elle est prise avec son prof de ballet privé. J'ai voulu aller m'asseoir contre un mur et la regarder danser, mais madame Lessard, une vieille dame avec un chignon serré, m'a interdit d'entrer. «Il ne faut pas déconcentrer mon élève!» Pffff... n'importe quoi! Et comment font les artistes sur une scène devant des centaines de spectateurs? Han? Han? Bref, je n'ai pas réussi à la convaincre.

Corentin s'est enfermé dans sa chambre, porte barrée. J'ai hâte qu'il sorte de sa peine d'amour, celui-là. Ça commence à devenir pénible.

Il me reste donc un dernier ami sincère... monsieur le iPod.

Laura12

«Salut, qu'est-ce que tu fais?»

Const99

«Hé! T'es où??? J'peux pas croire que tu m'as pas dit que ta maison avait BRÛLÉ!»

Laura12

«Oups... léger détail! C'est juste la cuisine, y a pas de quoi paniquer.»

Const99

«Me faire dire par ta mère que t'habites chez la mère de Marie-Douce pendant les travaux de nettoyage, c'était pas très *cool*.»

Laura12

«Ouais, il s'est passé trop de choses aujourd'hui, j'ai juste oublié de t'en parler! Parlant de choses qui se sont passées, as-tu regardé sur Internet? La photo de Marie-Douce est virale. Les gens veulent savoir c'est qui cette fille qui serait tombée dans l'œil de Harry Stone! Ils l'appellent la *Cendrillon de Paris*! Il paraît qu'elle a disparu alors qu'il voulait encore lui parler!»

Const99

«Ben voyons donc, c'est n'importe quoi!»

Laura12

«Vois par toi-même!»

Const99

«*Je dois y aller, je regarderai ça plus tard... bye xxx*»

Pour la troisième fois depuis que j'ai déposé mon sac d'école, j'ouvre l'application de Google et je tape : Harry Stone Cinderella.

Ce que je vois me sidère. C'est pire qu'il y a vingt minutes à peine. Une liste de liens interminable. Je clique sur le premier. La photo de Marie-Douce apparaît, toujours avec le fameux Harry. Ma sœur est méconnaissable, mais c'est bien elle. J'aimerais bien mettre la main sur ce « styliste de l'enfer » (Marie-Douce l'appelle comme ça, elle n'a pas l'air de l'aimer trop trop !) pour avoir une parcelle de cette apparence-là, moi aussi !

Je clique sur le prochain lien... encore la même photo. C'est toujours cette image qui revient.

Je suis dans la chambre que je partage avec Marie-Douce. Des pas approchent, la porte s'ouvre sur Corentin, qui tient son iPhone entre ses mains. Il est blanc comme un drap.

— Je devine que t'as vu à quel point la folie prend de l'ampleur ? dis-je d'une voix enrouée.

Il se passe une main nerveuse dans les cheveux.

— Ouaip... j'ai vu ça, et Marie-Douce est introuvable depuis qu'on est revenus de l'école ! Elle était bien avec nous quand on est descendus de la limo, j'ai pas rêvé ? Je ne comprends pas ! J'attends encore quelques minutes et j'avertis mon père.

— Quoi ? Tu veux dire que Marie-Douce a disparu ?

— Quelque chose comme ça, ouais ! Mais, avant de paniquer et de penser qu'elle a peut-être été enlevée, on va essayer de la trouver !

Marie-Douce, enlevée ? Ben voyons donc !

Je commence à moins aimer la vie des gens riches et célèbres…

Chapitre 15

Bang ! Clow !
Cling ! Clang !

Parmi tous les recoins et pièces libres de cette résidence immense, il a fallu que je me réfugie dans un placard sans lumière rempli de balais, de chaudières et de détergents! Tant pis, c'était le meilleur endroit pour ne pas être retrouvée trop vite. Le personnel ménager n'étant pas en service en soirée, personne ne viendra me déranger ici. Si je me roule en petite boule dans un coin de cette pièce minuscule (grande pour un placard, petite pour une pièce), peut-être que le monde entier oubliera mon existence?

Que ma photo soit à la une d'un journal, c'est une chose. Qu'elle crée un engouement et qu'elle soit partagée à coups de milliers de clics, c'en est une autre. Ça dépasse mes capacités. Depuis plusieurs minutes, des sueurs froides couvrent mon front et mon cou, j'ai des palpitations, j'ai mal au cœur et les bras me picotent. On dirait que je vais étouffer! J'ai un colossal besoin de silence.

Je commence à peine à mieux respirer. Je suis ici depuis combien de temps? Deux minutes? Cinq minutes? Vingt? Une heure? J'ai perdu la notion du temps. Mon ventre crie famine, mais rien ne pourra franchir la barrière de ma gorge qui se serre. Si l'heure du souper est passée, ils seront inquiets et se mettront à ma recherche. Arfff... encore de l'attention dont je ne veux pas. J'ai seulement besoin qu'on me laisse tranquille encore un peu. Ensuite, je pourrai émerger. Si tout va bien.

– Mariiiiiie !

Ah non, Corentin me cherche déjà.

– Marie-Douce Brisson-Bissonnette ! Si tu sors pas de ta cachette dans les cinq prochaines secondes, j'appelle la police !

Et voilà les menaces de Laura. Que faire ? Je ne suis pas prête à sortir. J'ai besoin de cette noirceur encore quelques minutes. Juste quelques petites, minuscules minutes…

Alors que je reprends mes esprits, les voix de Laura et de Corentin sont si proches que je les entends clairement à travers la porte.

– Bon sang ! Elle est où ? Corentin, je crois qu'il est temps de le dire à ton père. On l'a peut-être kidnappée ! Ça, ou elle est morte dans un coin sombre. T'as vérifié la piscine creusée ? Elle a peut-être perdu pied et… Oh non ! Elle s'est noyée ! J'en suis sûre !

– Du calme, Laura ! J'ai vérifié la piscine, c'est le premier endroit où j'ai regardé et elle n'y était pas.

Noyée ? Ben voyons donc ! Où est-ce qu'elle va chercher une pensée pareille ? Une fille ne peut-elle pas avoir besoin de quelques minutes de paix sans qu'on la pense morte ou kidnappée ? C'est bien Laura d'exagérer autant. Elle s'en fait pour moi pour de vrai ! Je l'adore.

Ça doit faire pas mal de temps que je suis cachée parce que je viens de me rendre compte que mes jambes sont tout ankylosées. Du coup, je tente de me redresser un peu. Ouch ! Ma tête heurte une tablette.

Bang ! Clow ! Cling ! Clang !

Les balais tombent en dominos, une boîte de savon en cristaux atterrit sur mes genoux et je pense bien avoir cassé un pot en verre. Mais comment savoir ? Je suis dans le noir.

Jusqu'à ce que la porte s'ouvre… Là, je suis aveuglée.

Chapitre 16

Le héros
des temps modernes

— Il faut que j'appelle Lucien de toute urgence, mais c'est la nuit là-bas. Il connaît Harry, il pourra lui demander de démentir et, si tout va bien, de stopper la machine.

Appeler Lucien qui connaît Harry ? Corentin dit ça comme si c'était tout à fait naturel !

Et... qui est Lucien ?

Marie-Douce vient de sortir de la douche. Après l'avoir finalement trouvée cachée dans le placard à balais, nous l'avons sortie de là sans attendre. Elle était pâle, elle avait pleuré et elle tremblait. Décidément, la célébrité spontanée, ce n'est pas pour tous ! Ma sœur ne fait pas partie de ces gens qui aiment avoir l'attention du monde entier. Oh non, ça ne fait pas de doute !

Lorsqu'elle sort enfin de sa douche interminable, Corentin fait les cent pas et discute au téléphone.

— À qui il parle ?

Affairée à écailler le vernis vert lime de mon auriculaire, je mets un terme à ma besogne pour répondre à sa question.

— À un gars qui s'appelle Lucien. J'ai aucune idée qui c'est. Tu le connais ?

Marie-Douce change d'expression. On dirait qu'elle a du mal à avaler sa salive.

— Pourquoi il lui parle à cette heure ? Il doit être 1 h du matin là-bas ! s'exclame-t-elle.

Corentin se retourne vers Marie-Douce et, sans cesser d'acquiescer à ce que son interlocuteur semble lui raconter, il lève son index pour dire « une minute ».

— Oui… oui… non… ahan… alors tu l'avais déjà contacté ? (Silence) Va-t-il parler à la presse pour dire que tout ça est sans importance ? (Silence) Ah, c'est bien, ça ! Ouais… désolé de t'avoir réveillé pour ça, mais t'imagines la panique ici. (Silence) Non, Marie n'a pas d'adresse *mail*… (Silence) Ouais… merci mec. On se voit bientôt.

Tout au long de cette communication mysté-rieuse, des millions de questions envahissent mon esprit. Mais de qui parle-t-il ? Qui devra parler à la presse ? Quand enfin Corentin raccroche, il lance son iPhone sur mon lit.

— Voilà ! Harry va publier un communiqué pour dire que la fameuse Cendrillon était bien jolie, mais qu'il n'a pas cherché à la retrouver, que c'est juste un bobard.

— Tu penses que cette histoire va s'arrêter ? demande Marie-Douce.

Corentin me regarde avant de se racler la gorge. Après l'épisode de la fuite dans le placard, nous ne tenons pas à revoir Marie-Douce prendre panique. Comment alléger la situation ?

— On pense que ça va se calmer vite, euh... t'en fais pas.

Marie-Douce est loin d'être idiote... et je mens mal. Si mal en fait que Corentin secoue la tête en soupirant.

Marie-Douce s'assoit sur son lit. Non, je devrais plutôt dire qu'elle s'effondre sur son lit. Elle saisit d'une main tremblante l'iPod que je lui présente. Lui cacher la vérité ne sert à rien.

Ce qu'elle voit, c'est la même photo... sur des dizaines de sites. La presse internationale s'est emparée de l'histoire même si elle est montée de toutes pièces.

— C'est Facebook et Twitter qui ont causé la folie. Les postes de radio ont contribué, et les journaux aussi : *le Huffington Post*, entre autres, a ajouté son grain de sel. La multiplication s'est produite à une vitesse spectaculaire. T'es devenue virale ! Les filles adorent les contes de fées, paraît-il, explique Corentin.

— Est-ce qu'on sait qui a pris la photo et qui l'a partagée ?

Corentin secoue la tête.

— Lucien croit que c'est un de ses potes, mais il n'en est pas certain. Il dit que Harry va démentir.

— S'il fait ça, j'aurai l'air d'une *fan* qui cherchait à être célèbre avec un mensonge !

Corentin et moi échangeons un regard soucieux. Nous sommes d'accord avec elle.

— Est-ce que mon nom est mentionné dans toute cette catastrophe ? demande-t-elle.

— J'ai pas vu ton nom, dis-je en pitonnant comme une folle sur mon écran.

— Il suffit de faire une recherche avec ton nom complet, on va bien voir, propose Corentin.

Corentin saisit son iPhone pour faire la recherche.

— Ça y est…, murmure-t-il.

— Ça y est QUOI ? Tu vas me rendre folle !

— Ton nom n'est nulle part. C'est déjà ça de gagné. Maintenant, il faut s'assurer que ça reste ainsi.

— À moins que tu souhaites devenir une célébrité, dis-je avec un sourire en coin. T'as qu'à le dire et je t'arrange ça en deux secondes…

— NOOOON ! s'écrient Marie-Douce et Corentin d'une même voix.

Je rigole tout bas.

— Mais où est passé votre sens de l'aventure ?

Je ne fais que rire… mais Marie-Douce rate peut-être une chance énorme d'être une *star* et d'accéder à tout plein de possibilités ! C'est quoi ce désir absolu de rester dans l'ombre ? Si c'était à moi qu'une chose pareille était arrivée, il me semble que je sauterais à pieds joints sur l'occasion !

Je comprends que Marie-Douce n'est pas bâtie de cette façon. Au fond, c'est un peu dommage ; la fille est bourrée de talent pour la danse, les acrobaties (selon Miranda, moi je ne l'ai pas encore vue à l'œuvre) et le karaté (oh, ça j'ai vu !). Du peu que j'en sache, elle a peut-être aussi une super voix de chanteuse et des dons d'actrice ! En tout cas, Marie-Douce est en train de charmer tout le monde sur son passage, c'est hallucinant. Cette façon qu'ont les gens de la regarder depuis son retour, c'est incroyable. Déjà de voir Corentin aussi épris, c'est quelque chose d'inattendu.

Moi qui croyais pouvoir discuter en paix avec ma sœur ce soir, je crains que ce soit chose impossible. Valentin, Miranda et Hugo ont vite été mis au courant de la situation. D'abord Valentin par son agent, ensuite Miranda, qui a contacté Hugo, le pressant de venir ici le plus vite possible. Voilà une demi-heure qu'ils sont arrivés, lui et ma mère. Les adultes sont dans le bureau privé de Valentin, à «discuter» du problème de Marie-Douce. Ils pensent faire quoi? Ils sont aussi impuissants devant la force du Web qu'un chaton devant un ouragan.

En tout cas, s'il faut se consoler d'une chose, c'est que la photo ne représente pas Marie-Douce en mauvaise posture. Elle a l'air d'une princesse d'une incroyable beauté, d'où le surnom de Cendrillon que lui a donné Harry Stone, et avec raison!

— Ça fait une heure qu'ils sont enfermés là-dedans, dit Marie-Douce. Il est presque 22 h. Même si mes yeux se ferment tout seuls, c'est SÛR que je ne dormirai pas de la nuit.

— Et moi donc, renchérit Corentin.

Nous sommes dans le salon, tous les trois allongés telles des larves sur les divans blancs. Moi, cette histoire ne m'empêchera pas de dormir, c'est certain, mais j'ai la délicatesse de ne rien dire. Les minutes passent, puis nous entendons des voix. Celle en colère d'Hugo contre celles, apaisantes, de Valentin et de Miranda.

— Votre carrière n'a rien à voir avec la situation de ma fille!

— C'est une occasion en or pour elle aussi, vous ne le voyez pas?

— Marie-Douce ! Laura ! Venez ! On vous ramène à la maison !

Oh ! Ça sent le conflit interfamilial ! Tout à coup, je me sens très éveillée ! Je n'ai jamais vu Hugo en colère.

— La cuisine est déjà prête ? demande Marie-Douce.

— Non, mais on va s'arranger ! s'exclame Hugo.

Puis, il se retourne vers Valentin.

— Si vous divulguez le nom de ma fille aux médias, vous aurez droit à une poursuite. Est-ce clair ?

— C'était une idée. Je compte respecter votre décision pour l'instant, ne soyez pas inquiet.

Valentin est plus grand, mais plus mince qu'Hugo qui possède une musculature tout de même impressionnante. Celui-ci s'approche à deux doigts du visage de Valentin. Son expression est menaçante. Je n'ai jamais vu Hugo aussi en rogne.

— Pour l'instant ? Tu me cherches, là ?

Oooooh ooh ! Il ne vouvoie plus Valentin ! Ça va barder ! Mais Hugo se calme vite. Il se retourne vers Miranda.

— Notre fille a beau passer du temps ici, n'oublie jamais que c'est moi qui en ai la garde. C'est donc moi qui décide ce qui est le mieux pour elle. C'est clair ?

— Ne parle pas à ma femme de cette façon ! s'insurge Valentin.

Un long et très puissant sifflement interrompt la dispute. Debout au milieu du salon, Corentin a produit ce son en soufflant entre ses doigts. D'un mouvement simultané, les quatre adultes se retournent vers lui.

— Et ce que souhaite Marie-Douce, vous vous en fichez ? Elle a fait une crise de panique, tout à l'heure. Elle était cachée dans un placard ! Elle ne peut pas supporter cette situation, ça me semble clair, non ?

Valentin plisse les yeux, la bouche serrée.

— T'as rien à dire là-dessus, Corentin.

— Je ne veux pas que mon nom soit divulgué ! Je veux juste que tout ceci s'arrête ! s'exclame Marie-Douce.

Corentin entoure les épaules de ma sœur d'un geste protecteur. Il regarde les adultes sans se laisser impressionner. Son attitude est plutôt charmante, je dois avouer… Quel autre garçon aurait protégé la fille qu'il aime de cette façon ?

— Je pense qu'on est tous d'accord. Elle veut garder l'anonymat le plus longtemps possible. Papa, t'as compris ?

Valentin hoche la tête, les bras croisés. Waouhhh ! Corentin est un héros des temps modernes. Comment Marie-Douce peut-elle rester insensible à autant de romantisme ? Elle est aveugle ou quoi ?

— Mais, Marie-Douce… susurre Miranda, il n'y a rien de mal à connaître son heure de gloire. Imagine tout ce que tu pourrais faire par la suite !

Chacun lance un regard meurtrier à Miranda, sauf Valentin qui la plaque contre lui. Je dois avouer que Corentin a de qui tenir. Valentin défend bien sa belle, même quand elle agit en idiote.

— Marie-Douce, je ne veux que ton bonheur, tu le sais, ça, ma puce ?

— Bien sûr, Miranda.

Valentin tend la main droite à Hugo qui le laisse languir quelques secondes avant de l'accepter.

Plus tard, dans le noir de notre chambre, Marie-Douce ne cesse de se retourner sur elle-même. Même si le sommeil m'appelle, je force mes paupières à ne pas se fermer par solidarité avec ma sœur.

— Tu ne dors pas, han…

— Ça va aller, dors, toi, répond-elle.

– Marie-Douce ?

– Oui ?

– C'est qui, Lucien ?

La phrase tombe dans un silence de mort.

My God... Est-ce que je viens de toucher à un sujet délicat ?

Chapitre 17

Pas-pire-pantoute

Déjà vendredi. La semaine a passé comme dans un rêve éveillé. Un avis a été envoyé aux parents et transmis à tous les étudiants de l'école concernant la fameuse Cendrillon de Harry Stone. Personne ne doit communiquer mon nom aux médias, qu'ils représentent des journaux, réseaux sociaux ou autre moyen de communication. J'espère que les étudiants auront la jugeote de respecter mon choix. Monsieur Tranchemontage s'est montré bien pessimiste sur la question.

— Ils sauront qui tu es, ce n'est qu'une question de temps, Marie-Douce. J'espère que t'en es consciente. Même avec nos efforts pour avoir le soutien des gens d'ici, ça n'arrêtera pas une personne en mal d'attention de dévoiler l'information. Il y a aussi les gens qui étaient présents lorsque cette photo a été prise…

— Bien sûr. Mais j'apprécie l'effort. Je vous en remercie du fond du cœur.

L'homme à la barbe rousse croise ses mains sur son ventre. Il est assis derrière son bureau massif de directeur d'école. C'est la première fois que je le vois sourire.

Laura et moi sommes restées chez Valentin et Miranda malgré la décision initiale de mon père de nous ramener. Après que Valentin s'est rangé de son côté, papa s'est calmé. Aussi, le mercredi matin, Laura et moi avons abandonné l'idée de prendre le bus, choisissant à la place d'y aller avec Bruno, mais dans la voiture de Miranda, une « simple » Mercedes coupé sport. Notre chauffeur avait l'air content. D'après moi, il avait l'œil sur le bolide de sa patronne depuis un petit bout de temps.

Laura m'a demandé de lui parler de Lucien. C'est bizarre, cette façon de me sentir figée jusqu'à en être incapable de m'exprimer. Pourtant, Lucien, c'est qu'un garçon comme les autres, non ? Vrai, il m'a traitée en princesse, il a été celui qui m'a donné mon premier baiser... Je me suis sentie comme SA Cendrillon à lui. Il n'est pas comme un certain chanteur populaire ! Mon visage restera dans sa mémoire. Avec ou sans photo qui fait le tour de la planète !

Je croyais avoir pu l'écarter de mon esprit et presque oublier son visage, mais je me trompais. Lorsque j'ai su qu'il cherchait à me joindre par courriel, mon cœur s'est emballé !

— Tu ne veux vraiment pas en parler ?

— J'aimerais mieux pas, Laura...

— Est-ce qu'il t'a fait du mal ? Est-ce qu'il a essayé de te faire faire des affaires que tu ne voulais pas? Si c'est le cas, il faut le dénoncer! Il a quel âge, ce gars-là?

— Il a rien fait de mal… J'ai juste… Euh…

— Euh, QUOI?

— C'est qu'en fait, Lucien, il est… comment dire…

— Marie-Douce, tu vas me rendre folle.

— Il est juste… un peu… oufff!

— OUF? Tu ne peux pas être plus précise?

— C'est un gars sûr de lui, tu vois, et… c'est pas qu'il soit si beau, mais…

— Est-ce qu'il est aussi beau que Corentin? demande Laura.

— Personne n'est aussi beau que Corentin.

— Ben là! Pourquoi tu ne sors pas avec Corentin, d'abord? Il est parfait et il t'aime comme un malade! Pis tu le sais, en plus! Pourquoi tu me l'as pas dit qu'il t'aimait? Han? Me semble que c'est le genre de « détail » qu'une fille dit à sa sœur. Tu ne peux pas me cacher des affaires de même, Marie-Douce, voyons donc!

— Je ne sais pas… Je voulais respecter les sentiments de Corentin, j'imagine. Il t'en a donc parlé?

— Ben oui, il m'en a parlé. Le pauvre gars est en train de faire une dépression nerveuse juste parce que tu respires le même air que lui! Ça crève les yeux, en plus! Je l'aurais deviné tôt ou tard.

— Je m'excuse...

— Ouais, OK. Mais là, tu dois tout me dire sur ce Lucien.

— J'en sais pas beaucoup...

— À part le fait qu'il est intime avec le célèbre Harry Stone? Il sort d'où, ce gars-là?

— C'est le fils de la productrice du dernier film de Valentin. C'est un bien drôle d'univers, leur monde de gens célèbres, Laura. J'ai perdu mes repères, tout est arrivé si vite. Le même soir, je parlais avec Harry Stone et j'ai vu la princesse Charlotte. Quelques minutes plus tard, j'avais Corentin qui me déclarait son amour... et puis, y avait Lucien qui... qui... me troublait.

Laura s'est assise dans son lit, les jambes croisées en Indien. Nous n'allions pas dormir de toute façon! Je l'ai donc imitée, me blottissant dans mes 100 000 coussins et oreillers.

— Je comprends comment t'as pu ne pas remarquer que tu te faisais prendre en photo!

— Et avec les téléphones intelligents, c'est vite fait bien fait.

— Et avec ce Lucien, il s'est passé quoi?

— Ben... je l'ai revu une fois. Il m'a embrassée.

– Sur la bouche ?

– Ben oui !

– Il a quel âge, ce tombeur ?

– Il a quinze ans.

– Quinze ans ?!

– Corentin m'a dit de m'en méfier. Il dit qu'il fait ça tout le temps, que c'est un séducteur.

Laura a éclaté d'un rire forcé.

– Pourquoi tu ris ?

– C'est bien évident que Corentin te dira que Lucien n'est pas un bon gars pour toi ! Allume, Marie-Douce !

– Corentin veut mon bien, il m'ai…

– Il t'aime, me coupe-t-elle. Et voilà. Il ne veut pas te voir dans les bras d'un autre. En plus, je te le dis tout de suite, je l'aime pas d'avance ce Luuucien ! Mais c'est réglé, de toute façon. Lucien est en France et toi, t'es ici. Alors, *no problema* !

– C'est que…

– Quoi encore ? demande Laura, impatiente.

– Ben… il s'en vient passer quelques mois ici.

– Lucien ?! Quand ça ? Heille, donne-moi son nom au long. Je veux voir de quoi il a l'air.

Je lui ai donné le nom complet de Lucien Varnel-Smith. Laura n'a pas eu à chercher bien loin. Il est sur plusieurs photos avec des célébrités.

— Ayoye, Marie-Douce, il est… oufff comme tu dis. Cet énergumène-là s'en vient ici ? À Vaudreuil-Dorion ? Est-ce qu'il va venir à notre école ?

— Je pense que oui. Ses parents veulent qu'il connaisse la vie des gens normaux. Il va fréquenter notre école à partir d'octobre.

Laura a secoué la tête avec consternation.

— Il va venir mettre le trouble, voilà ce qu'il va faire. Est-ce qu'il va vivre ici chez les Cœur-de-Lion ? J'espère que non, parce qu'il faudra l'éviter ! Un vrai paquet de troubles, un vrai de vrai ! Arrffff, je l'aime pas, Marie-Douce. Je l'aime pas pantoute ! Et Corentin qui est ami avec ça ! J'en reviens pas ! Il va se mettre entre toi et lui, il ôte toutes ses chances à Corentin ! Est-ce qu'on peut l'empêcher de venir ?

— Euh… Tu fabules pas un peu, là, Laura ?

Mais Laura ne m'écoute pas. Elle secoue la tête, sidérée par ce qu'elle trouve sur Internet concernant Lucien.

— Ce gars-là cherchait à t'écrire, tu te rends compte ? Une chance que t'as pas accès à Internet, il t'aurait embobinée autour de son petit doigt pour te laisser tomber tout de suite après. *My God*, Marie-Douce, tous les gars capotent sur toi. C'est fou !

J'ai hoché la tête, perplexe.

— Je commence à croire que c'est le cas et, pour être honnête, je ne comprends pas pourquoi.

— Arrête de faire la niaiseuse, Marie-Douce, c'est énervant. Tu sais pourquoi. T'es belle, gentille et intelligente.

— J'aurais jamais cru entendre ces mots-là de ta bouche un jour !

— Comme quoi les choses peuvent changer. Mais je le pense pour de vrai, t'sais. T'es devenue une fille pas-pire-pantoute.

— Merci Laura, t'es pas mal non plus. Faudrait essayer de dormir. Bonne nuit.

— Bonne nuit, femme fatale.

— Arrête.

— Toi, arrête de charmer tous les gars. Laisse-z'en aux autres.

— T'es nouille.

— C'est toi, la nouille.

— Bonne nuit, Laura.

— Bonne nuit, Marie-Douce.

— Laura ?

— Oui ?

— Moi aussi, je t'aime.

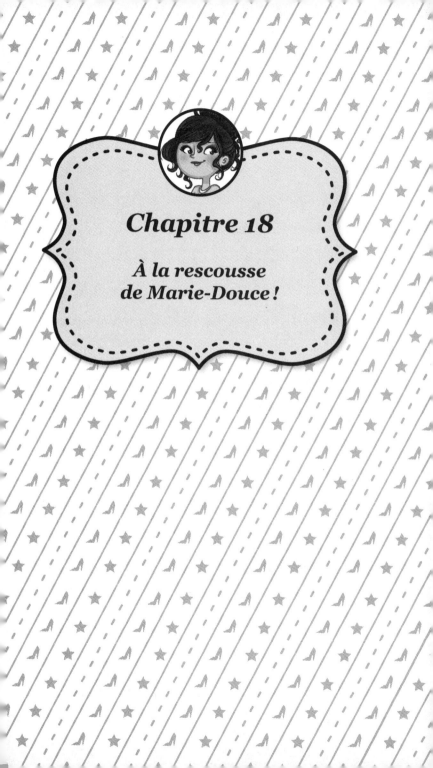

Chapitre 18

À la rescousse
de Marie-Douce !

Dans toute cette folie, je n'ai pas pu prendre deux malheureuses minutes pour lui raconter mon béguin de plus en plus sérieux pour Samuel Desjardins.

Je ne voudrais pas être dans les souliers de Marie-Douce, cette semaine. En fait, peut-être que ç'aurait été préférable que toute cette mascarade m'arrive à moi et non à elle. Il me semble que j'aurais mieux géré et apprécié davantage que ma sœur toute cette attention.

Nous (incluant surtout Corentin, Hugo et Marie-Douce) espérons que la folie autour de la photo virale finira par s'essouffler pour vite mourir d'une mort naturelle. Pour ce faire, il faudrait que Harry Stone n'alimente pas l'histoire sur Twitter ou Facebook! Hier encore, c'était « Beauté mystérieuse, où te caches-tu? » avec encore la photo de Marie-Douce, toujours la même maudine d'image.

Le gars s'amuse à ses dépens, ce qui n'est pas très *cool*. Ah, comme j'aimerais lui parler pour lui dire ma façon de penser! Mais j'y pense. Je PEUX lui parler! Corentin connaît Lucien qui connaît Harry Stone! Hé! Hé! Hé! J'ai qu'à demander!

C'est vendredi, Marie-Douce et moi sommes dans sa salle de bains personnelle (celle qui mène directement à sa chambre).

– Ce Harry Stone, tu lui as parlé combien de temps, en fait ?

Marie-Douce croise mon regard dans le miroir, brosse à dents en bouche.

– Heu ihutes !

– Quoi ?

Elle crache la mousse blanche dans le lavabo, se rince la bouche, essuie ses lèvres, puis se retourne vers moi.

– Deux minutes. Le temps qu'il me dise les seules trois ou quatre phrases qu'il connaît en français, dont « voulez-vous coucher avec moi ? », question à laquelle j'ai répondu un gros NON très clair !

– Mais, est-ce qu'il t'a fait les yeux doux ? Est-ce qu'il t'a regardée de la tête aux pieds ?

Marie-Douce éclate de rire. Mes questions l'amusent.

– Écoute, c'est un charmeur de foule. Le gars a toutes les filles de la planète à ses pieds. C'est sûr qu'il m'a fait son numéro de charme, mais si tu veux mon avis, je pense qu'il l'a répété et répété depuis qu'il est devenu une vedette. Je le soupçonne même de l'avoir pratiqué devant un miroir ! Tout ce qui arrive, ç'a rien à voir avec moi, c'est lui qui se sert de cette Cendrillon inventée de toutes pièces pour mousser sa popularité. Bientôt, il va dire que j'ai oublié mon soulier dans les escaliers, *check* ben ça !

– On dirait que tu commences déjà à être blasée de ta nouvelle célébrité.

Marie-Douce me regarde en roulant les yeux.

– Parce que c'est pas vraiment moi. C'est Cendrillon avec ma face. Et puis, j'ai JAMAIS voulu être célèbre et tu le sais très bien !

– Tôt ou tard, les médias vont te retrouver, Marie-Douce. T'es morte de peur, han ?

Elle revisse le tube de dentifrice, insère sa brosse dans le verre prévu à cet effet, puis se rince les mains.

– Oui… j'ai la chienne, t'as pas idée, murmure-t-elle sans me regarder.

Mon instinct protecteur vient d'exploser ! À la suite de cet aveu, je descends les marches en trombe pour retrouver Corentin. Par chance, il est déjà à table en train d'avaler des œufs bénédictine – un vendredi matin d'école ! Merci Gisèle d'exister ! (J'en veux aussi !) – garnis de sauce hollandaise (de la vraie !). Même s'il a la bouche pleine, je saisis son bras pour le tirer hors de sa chaise. Il est solide et lourd, mais quand je suis en état d'alerte, comme maintenant, ma force est herculéenne.

– Hé ! La cinglée ! Je mange !

– Suis-moi ! Ça urge !

Je dois le traîner à l'écart avant que Marie-Douce n'arrive à la cuisine. Je le pousse dans une chambre d'amis inoccupée. Il chiale encore lorsque je ferme la porte.

– Arrête de gigoter ! C'est à propos de Marie-Douce !

Il se fige. Je le savais que je n'avais qu'à mentionner le prénom de sa belle pour avoir son attention.

– Qu'est-ce qu'elle a ? demande-t-il, ses yeux bleus soudain inquiets.

– Elle capote, tu peux imaginer pourquoi ! Corentin, j'aimerais parler à ce… Lucien.

– Pour quoi faire ?

– Il connaît Harry Stone. Il faudrait qu'il lui dise d'arrêter de parler de Marie-Douce sur sa page Facebook !

– T'oublies Instagram et Twitter… Pourtant, il a promis de corriger la situation !

– Il alimente l'histoire partout, ce con !

– Les émissions et journaux *people* se sont emparés de l'affaire. Marie-Douce est recherchée.

– Quoi ?

Mon cœur vient de s'arrêter. Je ne savais pas que c'était rendu aussi loin !

— Ouais… j'ai vu ça ce matin, en consultant mon iPhone. Écoute, Harry a promis à Lucien de taire son nom. Là où ça risque de fuiter, c'est avec les mille élèves de l'école qui connaissent son histoire, indique-t-il.

— C'est sûr que quelqu'un va la *stooler*.

Corentin hoche la tête, les mains dans les poches.

— Ouaip.

Je fais les cent pas, puis je m'arrête devant mon ami et lui saisis les épaules.

— Alors, on fait quoi ? J'ai pas le goût de la retrouver sous son lit en train de brailler !

— Moi non plus, mais on doit laisser la tempête passer…

Chapitre 19

Démasquée !

Plusieurs choix s'offrent à moi. Je peux donner une entrevue à TVA, à Radio-Canada ou à RDI. Mon père capote, Miranda est aux anges, Corentin grince des dents et Laura n'arrête pas de me frotter le dos sans cesser de répéter « ça va passer... ça va passer... fais comme si de rien n'était... Tout ça, c'est pas toi, tu l'as dit toi-même ».

Monsieur Tranchemontagne a demandé à ce que je reste à la maison pour quelques jours. Ma présence affecte la quiétude de l'école. Ça veut donc dire que demain, lundi, je vais passer la journée avec Miranda. On ne sait pas qui a dévoilé mon identité aux médias. Ça importe peu, puisque ce n'était qu'une question de temps avant que ce soit fait.

Valentin est à nouveau avec mon père. Ils sont enfermés dans son bureau. Après tout ça, ces deux-là deviendront soit des amis, soit des ennemis.

La porte s'ouvre. Valentin, flanqué de mon père, dirige son regard vers moi.

— L'agent de Harry Stone voudrait que t'ailles le visiter chez lui, à Londres, annonce-t-il. Toutes dépenses payées !

Je sens les doigts de Laura s'agripper à mon épaule.

— Oh mon Dieeeuuuuuuuuu, est-ce que je peux y aller ? demande-t-elle.

Corentin et moi lançons un regard scandalisé à Laura.

— Ben quoi ! Je l'aime, moi, Harryyyyy Stoooone !

Voilà le chat qui sort du sac ! Chère Laura, toujours pleine de surprises. Il me semble l'avoir déjà entendue dire que Full Power était quétaine… Tsss…

— Personne n'ira chez Harry Stone, objecte mon père. Tout ça, c'est des manigances de publicité de l'agence du p'tit chanteur moyen.

Il faut savoir que, pour mon père, Harry Stone n'est qu'un chanteur sans talent extraordinaire qui ne vaut pas ses sacro-saints U2 ou Pink Floyd. Si Bono avait voulu me rencontrer, c'est SÛR qu'il m'aurait accompagnée en criant ciseaux !

— Hé, regardez ! s'exclame Corentin devant son iPad.

Il retourne la tablette vers nous. Un article sur l'émission *Entertainment Express* parle de moi ! Ce site Web est visité par des millions de personnes. Une nouvelle photo vient de faire son apparition : je porte ma robe bleue, et on reconnaît très bien Lucien derrière moi. C'est la photo que Christelle a prise lors de notre escapade !

« Il semble que la fameuse Cendrillon de Harry Stone soit une jeune Québécoise nommée Marie-Douce Brisson-Bissonnette. La demoiselle, originaire de Vaudreuil-Dorion, refuserait de parler aux journalistes. Son porte-parole tient à souligner que la jeune fille affirme n'avoir aucune relation, ni de près, ni de loin, avec l'artiste et qu'une rencontre fortuite serait à l'origine de cette photo qui se propage de façon virale sur le Web.

De son côté, Harry Stone, le chanteur populaire âgé de quinze ans, maintient sur sa page Facebook que sa Cendrillon lui a échappé et qu'il tient à la retrouver. On voit ici la principale intéressée accompagnée du fils de Jessica Varnel-Smith, la célèbre productrice. Selon nos sources, ces deux-là seraient davantage que des amis ! Quel sera donc le choix de la jolie Marie-Douce ? C'est ce qu'on cherche à savoir. Lucien Varnel-Smith ou Harry Stone ?

Toute cette histoire est-elle vraie ? Est-ce un gigantesque canular ? Ou un énorme coup de publicité pour le groupe Full Power ? Cela reste à découvrir. Toujours est-il que plus Cendrillon se cache, plus elle se fait désirer. »

Chapitre 20

De la grosse visite

Ça fait trois jours que Marie-Douce est enfermée dans la demeure des Cœur-de-Lion. « On attend que ça passe », répète Valentin, chaque fois qu'on lui demande s'il a du nouveau. Nous sommes mercredi soir. J'ai entendu parler de Marie-Douce entre chaque cours, ainsi qu'à l'heure du lunch. Il y avait les filles du volleyball qui débattaient à propos du dernier article. Selon elles, Lucien Varnel-Smith est beaucoup plus beau que Harry Stone.

— Il a moins une *baby face* que Harry, vous ne trouvez pas ? a demandé Liliane Auger.

— Harry est blond, j'adore les blondinets, moi, a répliqué Véro Larouche, la seule fille de ma connaissance qui parle plus fort que Samantha Desjardins.

— C'est qui ce Lucien Varnel-Smith ? a demandé Pam Gérard. Un acteur ? Il joue dans quoi ?

— C'est pas un acteur ! C'est le fils d'une madame qui fait des films ! Un fils de riche, un peu comme Paris Hilton.

— Wowwww… si un jour sa mère le met dans un de ses films, je vais le voir c'est sûr, assure Pam.

— Moi ausssiiiiii, ont renchéri les autres filles.

Maman m'a téléphoné pour me dire que les travaux avançaient bien et que nous pourrions revenir à la maison dans deux semaines. Ça, c'est une bonne nouvelle. J'espère que, d'ici là, notre vie aura repris son cours normal. J'ai apporté à ma sœur ses devoirs de maths, de français et d'éthique. Une chance qu'elle est douée dans toutes les matières, sinon elle prendrait du retard. Depuis lundi, Alexandrine Dumais se tient tranquille avec sa gang. J'ai appris qu'elle s'occupait désormais du journal étudiant. Ce midi, je suis allée la voir pour m'assurer de certaines choses.

— Si tu publies un seul mot concernant l'histoire de Marie-Douce, je te pends par les pieds au milieu de la salle F. C'est clair?

Elle a éclaté de rire.

— T'inquiète pas. Marie-Douce est mon amie. Je ne ferai rien pour lui nuire.

Quoi ? ? ? ?

— Arrête de niaiser! Tu ne la connais même pas!

Alexandrine a lancé un regard complice à Clémentine (qui ne parle toujours pas), ainsi qu'à Dariane St-Cyr, lesquelles ont croisé les bras, impatientes de voir comment allait se dérouler cette conversation épineuse. Alexandrine s'est levée, a marché vers moi pour me dominer de sa hauteur. Elle est aussi grande que Corentin!

— Je la connais mieux que tu penses. Elle m'a demandé de ne rien écrire à ce sujet, et c'est ce que je vais faire. Alors, si t'as pas autre chose à dire, je te suggère de sortir de mon local.

— C'est pas TON local, c'est celui du journal !

— Tant que je suis la rédactrice en chef de ce journal, c'est MON journal. Si tu t'intéressais un peu aux activités parascolaires au lieu de reluquer Samuel Desjardins dans le cours de maths, tu pourrais peut-être avoir ton mot à dire. En attendant, tu décampes !

J'ai dû rougir de honte ; j'ai senti mes oreilles chauffer ! Comment le savait-elle ? Alexandrine n'est pas dans mon groupe, en mathématiques. Puis, j'ai vu derrière elle les épaules de Dariane sautiller. C'est *elle* qui est dans cette classe. Suis-je donc si peu discrète ? Il faudrait que je change de place ! J'ai du mal à contrôler où vont mes yeux. Je dois regarder le tableau, pas le dos et la nuque de Samuel !

Je suis sortie du local la tête baissée, l'orgueil au tapis.

Ainsi, Marie-Douce et Alexandrine se parlent. Pourquoi est-ce qu'elle ne me l'a pas dit ? L'apprendre de cette façon, ça fait mal ! Voilà déjà deux informations importantes que ma sœur me cache. L'amour de Corentin à son égard et maintenant ça. C'est vrai qu'avec tout ce qui arrive, elle a peut-être oublié. Ça serait normal.

Même si Marie-Douce avait de bonnes raisons d'oublier de mentionner cette relation naissante entre elle et Alexandrine, un vent de panique s'empare de moi. S'il faut qu'Alexandrine adopte Marie-Douce dans sa gang, je la perdrai! Tout le monde sait, surtout moi pour l'avoir vécu, qu'Alexandrine ne se lie pas d'amitié avec les gens, elle les « capture ». Avec elle, il n'existe pas de demi-mesure.

Je suis assise sur une des marches qui donnent sur l'entrée principale de la résidence des Cœur-de-Lion. Bruno vient de nous déposer et il dirige maintenant la limousine vers le garage. Aussitôt que j'atteins la zone couverte par le WiFi, mon iPod fait *tududutte*. C'est Constance sur Messenger.

Const99
« As-tu une copie du devoir de maths ? »

Ah! je reconnais bien là ma chère Constance. C'est la seule qui tente d'éviter le sujet qui anime toutes les conversations depuis le premier jour de classe. Pour elle, ce qui arrive à Marie-Douce tient du fait divers. Elle roule les yeux et change de place quand on en parle.

> **Laura12**
> « Oui, tu veux que je te le scanne ? »

> **Const99**
> « Es-tu chez toi ? Je passerai le chercher. »

Zut. Non, je ne suis pas chez moi et personne n'a vu le domaine de Corentin. Nous tenons à garder ça secret le plus longtemps possible. Je lui réponds quoi ?

> **Laura12**
> « Je suis chez Corentin, c'est trop loin. »

C'est à 2 kilomètres, il n'y a pas de quoi prendre l'avion, mais c'est tout de même plus éloigné, non ?

Const99
« Il habite où, lui, coudonc ? »

C'est vrai, on ne le lui a jamais dit.

Laura12
« Vaudreuil-sur-le-Lac. »

Const99
« C'est donc là que tu te caches ! »

Laura12
« Je ne me cache pas, notre maison est en rénovation à cause de l'incendie, rappelle-toi ! Corentin me rend service. »

Const99

« Ah ! J'imagine que t'es avec ta supposée sœur… »

Voyons donc ! On dirait qu'elle est jalouse !

Laura12

« Pourquoi tu dis ça de même ? C'est pas très cool. ☹ »

Un vide s'installe plusieurs secondes sur l'écran. Elle ne répond pas, ou cherche la meilleure réplique. Je commence à connaître Constance. Elle fait attention à ses commentaires, elle joue de prudence, mais en même temps, c'est plus fort qu'elle, il faut qu'elle exprime le fond de sa pensée. Par exemple, le fait que j'appelle Marie-Douce ma « sœur » et que j'ai décidé que rien au monde ne viendrait gâcher notre lien, ça l'énerve au plus haut point. On dirait qu'elle pense que je n'ai pas le « droit » de la désigner comme ma sœur.

Const99

« Excuse-moi, t'as raison. C'est juste que je trouve que ça va vite. Elle revient et PAF ! c'est comme si vous étiez des jumelles. Vous étiez en guerre et là, c'est l'amour fou. Quand vous allez vous chicaner, ou qu'elle ne sera pas aussi impliquée que toi dans votre relation parce que la Terre entière veut l'avoir, tu vas venir pleurer tout ça sur mon épaule. »

Laura12

« Tu penses qu'elle n'est pas aussi attachée à moi que je le suis à elle ? »

Const99

« Je te dis juste de faire attention, et de ne pas négliger tes autres amies. »

Laura12

« :O »

Const99

« Je l'ai vue discuter avec Alexandrine. Plus qu'une fois. »

Laura12

« As-tu entendu leurs conversations ? »

Const99

« Non. »

Je m'apprêtais à bombarder Constance de questions pour la forcer à préciser les faits qu'elle me rapporte, mais j'entends un bruit de moteur à la barrière de sécurité. On a de la visite ! Ou plutôt, Valentin Cœur-de-Lion semble en avoir. Un taxi s'amène vers la résidence.

La voiture noire s'arrête et je vois Bruno qui s'élance pour accueillir les nouveaux venus. Derrière moi, la porte d'entrée s'entrouvre. Miranda, grand sourire aux lèvres, dépose un pied chaussé d'un talon haut très élégant sur le ciment. Je lève le regard sur elle pour constater qu'elle s'est endimanchée. Elle porte une robe blanche à ceinture noire, son chignon est lissé et elle s'est maquillée. Il y a un quart d'heure, elle était en jeans et dépeignée. Du bout des pieds (parce qu'avec ces machins chics, elle ne peut pas marcher), elle sautille jusqu'à la voiture. De la banquette arrière surgit une femme qui doit être sa jumelle cosmique avec ses cheveux blonds et son chapeau que pourrait porter la reine Elizabeth!

– Jessica! Comme je suis heureuse de vous voir!

Ouille… Miranda vient de prendre son accent français maladroit. On a donc de la grosse visite de France.

Hourra.

Chapitre 21

OMG

OH, MON DIEU !
OH, MON DIEU !

Un branle-bas de combat se produit au rez-de-chaussée. J'entends des voix, plusieurs, qui s'animent. Enfin, un peu d'action pour détourner les regards de ma personne. Je suis dans mon gym pour répéter une nouvelle chorégraphie que j'invente toute seule.

Décidée à ne pas me faire déranger, je hausse le volume de la musique et je ferme la porte. Les murs sont insonorisés, je ne dérangerai personne et vice-versa. J'y vais de mouvements rapides, de sauts, je sors de la séquence de pas que j'avais préparée, j'improvise. Ça fait du bien de me défouler un peu. L'exercice a toujours été un bon moyen d'échapper aux soucis du quotidien. Vêtue de leggings ajustés et de souliers de course, j'entame des figures qui ressemblent davantage au hip-hop qu'au ballet classique.

Toujours en mouvement devant les murs recouverts de miroirs, j'évite de regarder de quoi j'ai l'air et je ferme les yeux. Je revois dans ma tête les événements de dimanche dernier.

Mon cœur se serre lorsque le visage de Lucien revient me hanter. Pourquoi fallait-il que cette autre photo fasse surface ? Corentin, qui n'était pas au courant de mon escapade avec Lucien (encore moins du baiser passionné que nous avons échangé), m'a regardée d'un drôle d'air. Il a déposé l'iPad sur la table sans poser de questions, avant de sortir du salon d'un pas pressé, les mains dans les poches.

J'ai couru derrière lui, il va sans dire !

– Corentin…

D'un élan, il allait me fermer la porte de sa chambre au nez, mais d'un mouvement vif, j'ai stoppé son geste.

– Hé ! Corentin ! Pourquoi t'es comme ça ?

Il m'ignorait, c'était volontaire et évident. Corentin fait ça lorsqu'il est mécontent.

– Rien. Y a rien, OK ? Tu peux refermer derrière toi, s'il te plaît, Marie-Douce ?

Je devais avoir un air coupable. Je ne voulais pas faire de peine à Corentin, encore moins lui cacher les faits.

– J'ai fait une promenade dans Paris avec Lucien, j'aurais dû t'en parler. C'était quand ma mère m'a kidnappée pour aller prendre le thé avec ses bonnes femmes…

Les épaules de Corentin se sont affaissées, il fuyait mon regard.

– Je t'ai déjà dit que je ne suis pas con. Je sais que Lucien te plaît. Mais d'apprendre comme ça que tu l'as revu et surtout… de vous voir ensemble, c'est plutôt énervant.

J'ai soupiré. Tout m'échappait, je ne pouvais plus plaire à personne. Ni à Corentin à cause de Lucien, ni à Laura à cause d'Alexandrine, ni à Constance à cause de Laura, ni à ma mère à cause de… euh… elle-même, en fait. Ni à mes camarades de classe à cause du monde entier !

J'étais à bout de nerfs, fatiguée par l'insomnie, angoissée par ce qu'il se disait à mon sujet, et triste d'avoir fait mal à Corentin, mon meilleur ami. Parce que c'est ce qu'il est devenu par la force des choses.

Si Laura est ma sœur parce que nous avons décidé de nommer ainsi notre lien, je ne peux, ni ne voudrais, faire la même chose avec Corentin. Même si nos parents sont mariés, il ne sera jamais mon frère. Il est mon héros, mon protecteur, mon confident et mon complice. J'aurais aimé pouvoir l'aimer de la même façon que lui m'aime, mais ce sentiment ne m'habite pas. En tout cas, pas pour lui. Un jour, peut-être que ça changera, qui sait ?

Je me demande parfois si mes sentiments auraient pu être différents à l'égard de Corentin si je n'avais jamais connu Lucien Varnel-Smith. Avec des « si » on pourrait mettre Paris en bouteille, paraît-il. Pourquoi perdre mon temps à me poser tout plein de questions sur quelque chose qui ne s'est pas produit ?

J'ai donc laissé Corentin seul dans sa chambre même si ça me brisait le cœur. Je me suis dit qu'il était un grand garçon, qu'il trouverait un moyen de s'en remettre.

— Tu ne peux pas porter les problèmes de tout le monde sur tes épaules, tu sais.

J'étais encore dans le corridor devant la porte close de la chambre de Corentin. Miranda me regardait avec l'expression d'une mère chaleureuse qui admire sa progéniture. Ça ne lui ressemblait pas, j'étais médusée.

— Quoi ?

Elle a ri devant mon étonnement.

— Tu penses peut-être que je ne devine pas comment tu te sens ? Pauvre petite, c'est bien plus gros que toi, tout ça. Tout le monde voudrait son petit morceau de Marie-Douce et tu ne peux pas te diviser.

— Non, en effet.

— Ce que tu peux faire, par contre, c'est tirer ton épingle du jeu. La célébrité, ça vient avec des inconvénients, c'est indéniable, mais ça vient aussi avec de grandes possibilités.

— Miranda, j'ai juste treize ans…

— Bientôt quatorze. Et l'âge n'a rien à y voir.

Je l'ai dévisagée avec suspicion. Miranda n'a pas souvent cet air de « je sais comment tu te sens, laisse-moi te guider ». J'étais donc abasourdie! Son attention n'est jamais sans servir ses propres intérêts.

– Je ne veux pas de ces possibilités, Miranda. Je ne souhaite qu'être une fille de secondaire 2 comme les autres et avoir la paix.

– T'as jamais été comme les autres, ma toute douce. Pas une seule minute de ta vie. Dès ta naissance…

– Je sais, j'étais pas censée survivre…

Miranda a souri pour elle-même, les yeux dans le vide.

– T'étais la coqueluche de l'étage, à l'hôpital. Même si minuscule, tu étais la plus belle.

Un malaise s'est emparé de moi. Ceci n'était pas une conversation de corridor. Il y avait Corentin qui se morfondait derrière une porte, le monde entier qui parlait de moi : entendre parler de ma naissance était la moindre de mes préoccupations à ce moment-là!

– Maman, si ça ne te fait rien, je vais aller prendre un bain. Réfléchir un peu…

– Tu devrais m'appeler « maman » plus souvent…

– Je vais essayer, ai-je promis.

Je ne lui répète pas que c'était son choix à elle de se faire appeler par son prénom par sa propre fille. Qu'est-ce que ça donnerait ? Les gens peuvent changer, même Miranda, on dirait.

Essoufflée d'avoir dansé avec ardeur, je m'arrête un instant et tente de me sortir de l'esprit les souvenirs des jours passés. Les moments de sincérité de Miranda sont rares. On dirait qu'après une conversation comme celle-là, elle fait tout pour redevenir la Miranda superficielle que tout le monde connaît.

D'ailleurs, parmi les bruits venant du rez-de-chaussée, c'est sa voix d'actrice que j'entends. Elle a repris son accent européen à la gomme. Je commençais justement à remarquer qu'elle l'abandonnait de plus en plus avec son mari ! Pourquoi aurait-elle recommencé à parler ainsi, tout à coup ?

Le cœur en chamade, les mains tremblantes, je saisis ma serviette pour essuyer mon visage en sueur. D'autres voix, celles-là familières et déconcertantes, arrivent à mes oreilles.

OH, MON DIEU… Serait-ce… ?

OH, MON DIEU !

OH, MON DIEU !

Chapitre 22

Quelques minutes
plus tôt

Miranda se jette dans les bras de l'inconnue pour l'embrasser avec effusion. Bras dessus, bras dessous, elles se dirigent vers l'entrée de la maison. Arrivée à ma hauteur, Miranda s'arrête, stoppant par le fait même son élégante amie.

– Jessica, je vous présente Laure…

Est-ce que je viens de faire une courbette comme à une reine, moi-là ? Ouille, ouille…

– C'est LaurA.

Miranda éclate d'un rire haut et, pour être honnête, un peu niaiseux.

– Oui, Laura, bien sûr. Où avais-je la tête ?

J'ai quelques idées pour toi, Miranda…

La dame me tend la main et me tire à elle pour me donner un nombre incalculable de bisous d'une joue à l'autre. Chose étrange, jamais ses lèvres ne touchent ma peau. Elle embrasse l'air !

Sans s'attarder, elles entrent dans la maison encore excitées de leur rencontre. À cet instant, une autre personne sort de la voiture noire. Un adolescent, grand et athlétique, les cheveux châtains ondulés, pas trop longs ni trop courts, dans un désordre pas mal *cute*. Son visage n'est pas d'une beauté plastique, mais plutôt intimidant, avec sa mâchoire carrée et son regard profond. On dirait un de ces acteurs de films américains…

Son sac de sport sur l'épaule, il se dirige vers moi. Il porte un jean délavé, des souliers de cuir brun et un t-shirt blanc. Rien pour se faire remarquer, sauf que… Seigneur! On ne peut pas le manquer! Oh non…! Il me regarde comme un scientifique décortique un insecte!

— Salut, t'es la fameuse Laura?

— Oui…?

Il me tend sa main droite. Va-t-il me donner un million de becs, lui aussi?

— Lucien Varnel-Smith. Un ami de Corentin.

Comment n'ai-je pas allumé avant? Bien sûr que c'est lui! Avec cet accent français, j'aurais dû deviner tout de suite! Je n'avais pas fait le lien entre lui et cette Jessica sophistiquée. Il ne ressemble pas tout à fait aux photos que j'ai vues sur Google, il semble plus… ouffff! (je suis sans mots) en trois dimensions.

— Ah ouais, je vois qui t'es, dis-je, aussi désinvolte que possible alors qu'en réalité, toute ma salive vient de disparaître.

J'ignore sa main tendue et place mes mains sur mes hanches. Il est grand, mais je ne me laisserai pas impressionner! Sans attendre, il laisse tomber sa main pour ensuite la glisser dans la poche de son jean.

— Est-ce Corentin qui t'a parlé de moi ? demande-t-il avec une politesse qui m'étonne.

Et là, tout à coup intimidée par sa prestance, je deviens une vraie mauviette.

— Ouais… et j'ai vu la photo avec toi et Marie-Douce.

Ce que j'aurais vraiment voulu dire ressemble plutôt à :

Dis donc, c'est toi qui as mis la photo de ma sœur sur Internet ? C'était pas très cool ! Si t'es venu à sa rescousse, c'est un peu tard, Superman ! Pffff ! Et t'es pas si beau que ça ! Et ton foutu ami Harry qui invente des histoires sur ma sœur ! Ça te tenterait pas de lui fermer le clapet ?

Comme je suis trop *chicken* pour dire ma vraie façon de penser, je le laisse simplement acquiescer de la tête, un pied sur la première marche.

— Ah oui, cette photo-là.

— Est-ce que Harry Stone va arrêter d'inventer des histoires au sujet de ma sœur ?

— Ta sœur ? demande-t-il en ignorant ma question. Tu ne lui ressembles pas. Parles-tu de Marie-Douce ? Elle ne m'a pas mentionné avoir de sœur…

Pas de tes oignons ! Réponds à ma question !

Ai-je le courage de dire le fond de ma pensée ? Nooooon ! Au lieu de m'exprimer avec mon culot habituel, je me contente de marmonner :

— On a décidé ça à son retour. On n'est pas vraiment des sœurs, c'est parce que ma mère sort avec son père et…

Il hausse les épaules et regarde vers la maison. Il se fiche éperdument de mes histoires !

— Je vais entrer, si ça ne te dérange pas, chère Laura. Je dois parler à Marie-Douce… Excuse-moi.

Sans ajouter un mot, il s'avance, ne me donnant pas d'autre choix que de me tasser pour le laisser passer. Zut. Pour faire exprès, il sent bon.

La présence de ce garçon ne me dit rien qui vaille. En plus, il me prend pour une épaisse. Même si je me suis conduite comme une grosse peureuse, il n'en a pas terminé avec moi. Oh non !

Chapitre 23

Danger-danger-danger

La distance entre mon gym et ma salle de bains personnelle est de quatre mètres. Je cours, non, je sprinte vers la douche! Il n'est pas question qu'IL me voie toute dégueu de transpiration et les cheveux ramassés dans un tapon désordonné au-dessus de ma tête! S'il s'agit bien de Lucien, je sens que je vais déparler. *Ah, hum, oumph, bah... et glou glou glou...*

J'arrive à quelques centimètres de mon but, le bout de mon pied atteint presque la tuile blanche de ma salle de bains lorsqu'une main venue de nulle part (vraiment, je ne comprends pas d'où elle sort!) agrippe mon bras moite.

— Viens vite, il faut que je te parle.

— Laura! dis-je, la main sur mon cœur qui s'emballe. Tu m'as fait peur! Lâche-moi, je dois me doucher! Ça presse!

Elle me pousse vers la salle de bains, mais entre avec moi avant de refermer la porte derrière nous.

— Va te laver, je reste ici, on va jaser. Ça aussi, ça presse.

— Tu... tu... veux rester pendant que je prends ma douche?

Elle roule les yeux.

— La porte de la douche est opaque et je ne regarderai pas, espèce de nouille. De toute façon, on est des sœurs, non ?

Oh, elle prend ça plus au sérieux que je ne le croyais !

Sous le jet chaud, j'entends la voix de Laura qui semble bien énervée !

— J'ai couru aussi vite que j'ai pu pour arriver jusqu'à toi avant lui ! J'ai vu « ton » Lucien ! Tout un air bête, ouf !

D'une main tremblante, je saisis la bouteille de shampooing pour en verser une larme dans ma paume.

— Comment ça, l'air bête ?

— J'ai été super gentille avec lui et il m'a envoyée promener !

Je frotte mon cuir chevelu avec énergie. Tu parles d'un *timing* pour prendre une douche ! J'aimerais pouvoir sauter l'étape du revitalisant et gagner de précieuses minutes, mais mes cheveux ont tendance à faire des nœuds sans traitement.

— Tu lui as dit quoi, coudonc ?

— Le pire, continue Laura comme si elle n'avait pas entendu ma question, c'est qu'il l'a fait avec doigté, sans élever la voix. Très poli…

Je ris en moi-même. Bien sûr que Lucien sait s'y prendre. Il est du genre à vous dire que vous êtes imbécile sans que vous ne vous en rendiez compte.

— C'est bien lui, ça. Oh, Laura! Je pense que je vais mourir.

— Arrête de niaiser, sors de là, on va décider quoi faire.

— Comment ça, quoi faire?

— Ben, tu ne peux pas lui sauter dans les bras, quand même! Ce gars-là, c'est pas notre ami. Il est… euh… dangereux.

Revitalisant en main, je fronce les sourcils en appliquant une double dose de produit blanc au parfum de bananes.

— Pourquoi tu dis ça? Lucien a toujours été correct avec moi!

— Ouais, et t'es pâmée comme une belle innocente. D'un, il est trop vieux pour toi!

— Pas tant que ça!

— De deux, continue-t-elle, ignorant encore ma réplique, il est trop… euh… juste trop. C'est pas bon, ça.

Toujours sous le jet, je secoue la tête, la bouche ouverte d'incrédulité. Ça y est, je viens de manger du revitalisant que je recrache avec énergie. Ç'a un goût terrible.

— Laura ! Arrête donc d'exagérer ! Lucien est pas « trop » du tout !

— Ah non ? Alors, pourquoi as-tu eu de la difficulté à m'en parler ! Pourquoi est-ce que, juste à regarder sa photo sur Google, t'es devenue rouge comme une pivoine, han ? Et là, j'ai vu l'énergumène et j'approuve pas du tout ! Il est froid comme un congélateur. Tu devrais aimer Corentin, il est mieux que l'autre grand frais chié !

A-t-elle dit « frais chié » ?

Voilà, je suis bien rincée, je pourrai enfin faire valoir mon point de vue avec plus de liberté.

— Lance-moi une serviette, s'il te plaît, Laura.

Elle m'en refile une blanche très moelleuse. Je sens que je vais trouver les serviettes de mon père pas mal rudes à mon retour…

— Je te laisse te rhabiller, dit Laura. Je vais aller lui dire deux mots, à ton grand snob !

Alors que j'enroule ma serviette autour de ma poitrine, je suis prise d'un élan de panique. Laura dira-t-elle des âneries à Lucien ? Je lui emboîte le pas malgré mes cheveux dégoulinants.

Appuyé au mur du couloir, bras croisés et sourire en coin, Lucien Varnel-Smith n'attendait que notre sortie de la salle de bains pour se manifester. À voir son air, c'est clair qu'il a tout entendu. Honteuse et découragée, je remonte la serviette sous mes aisselles et je me sauve en vitesse dans ma chambre. Malgré ma fuite, j'ai le temps d'entendre la voix familière dans mon dos.

— Salut, Marie…

Chapitre 24

Trop, juste TROP

Lucien ne m'a pas regardée même quand Marie-Douce a refermé (claqué!) la porte derrière elle, nous laissant en tête à tête. Il se prend pour qui? Cette fois, c'est trop! J'ai essayé d'être gentille, là PU CAPABLE. De toute façon, il sait déjà ce que je pense de lui puisqu'il a probablement tout entendu!

— Hé, le Parisien snob, j'existe aussi! C'est pas très *cool* de m'ignorer!

À ces mots, il pose enfin son regard brun sur moi. Oh mon Dieu, c'est quoi ce phénomène de fou? Voilà un frisson qui me passe d'un bout à l'autre du corps. S'il me fait cet effet alors que je le déteste, je ne veux même pas imaginer ce qu'il provoque comme sentiment chez Marie-Douce! Un danger public, un vrai! S'il faut qu'il dépose le gros orteil à la Cité-des-Jeunes, il fera des dommages irréversibles parmi les filles de l'école!

— Puisque je suis « juste trop », pour reprendre tes paroles, je ne voudrais pas te traumatiser, me répond-il d'un ton ironique.

Zut. Il a vraiment tout entendu. Je plisse les yeux pour le regarder avec attention et, surtout, réfléchir à la façon de me sortir de ce faux pas. Tant qu'à avoir perdu la face et comme il est évident qu'il ne m'aime pas du tout, aussi bien cesser de faire la peureuse et arrêter de faire attention à ce que je dis!

— À bien te regarder, t'es pas aussi beau que sur les photos. Il devait y avoir du Photoshop pour embellir ta face. Est-ce que Harry Stone est là aussi ? Il serait beaucoup plus intéressant que toi…

Il secoue la tête sans se laisser démonter.

— Je me fiche d'être beau ou non, c'est pas ça qui fait la mesure d'un homme.

Oh la la, il n'a que quinze ans et se prend pour un homme ?

Je lève la main pour protester.

— Un instant ! T'es juste un jeune morveux qui se prend pour un autre, fait que… relaxe, han !

Corentin surgit dans le couloir, servant au grand niaiseux une poignée de main compliquée que seuls de vieux amis peuvent exécuter avec un tel synchronisme. Arf… c'est son « pote », semble-t-il. Je serai encore la « rejet » de la gang… si on peut appeler notre quatuor mal assorti une « gang ».

— Salut mec, c'est pas trop tôt ! Je vois que t'as rencontré Laura, dit-il en me désignant d'un mouvement de tête.

— Ouaip, et je ne comprends pas un mot de son jargon campagnard mal articulé. Tu peux traduire, s'il te plaît ?

QUOI ?!

— J'vais t'en faire, moi, du jargon mal articulé !
C'est pas de ma faute si t'as les fesses coincées dans
un étau ! C'est quoi ce snob à la gomme, Corentin ?
T'étais pas comme ça quand t'es arrivé ici !

Corentin, qui a croisé ses bras en écoutant ma
tirade ainsi que les insultes de Lucien, se met à
applaudir en gestes lents.

— Bravo pour la prestation, vous deux ! Je vois
qu'on va bien s'amuser. Si vous pouvez arrêter
de faire les enfants, on pourra passer aux choses
sérieuses, comme discuter de ce qui arrive à Marie-
Douce. T'as parlé à Harry Stone, Lucien ?

Ce dernier jette un regard dans ma direction
avec un sourire en coin. Pour me calmer, je prends
une longue inspiration. Je sais que Corentin a raison,
mais le gars me tombe sur le gros nerf. À mon tour
de croiser les bras sur ma poitrine. Je refuse de
bouder, il n'en vaut pas la peine. Pourtant, c'est ce
que je fais… Pendant que je m'enferme dans mon
silence renfrogné, les deux amis discutent.

— Ouais. Il m'a dit qu'il arrêterait de publier
des commentaires sur les réseaux sociaux, affirme
Lucien.

Ah bon, c'est déjà ça de fait !

– C'est pas suffisant! Il faut qu'il se rétracte et affirme que Marie-Douce n'a rien à voir avec lui, ni de près, ni de loin! insiste Corentin.

Lucien s'appuie contre le mur, ses doigts tapotent sa bouche comme s'il réfléchissait. En est-il seulement capable? Ah! Il est si con que j'en doute!

OK, il n'a pas l'air idiot du tout, c'est même le contraire. Il m'enrage parce que j'ai eu l'air d'une vraie nouille…

– Le problème, c'est que Harry était dans le creux de la vague au moment où cette photo est devenue virale. Son agent est trop heureux de la tournure des événements. C'est lui, en fait, qui a la mainmise sur les finances de Harry. Ce n'est pas Harry qui a écrit toutes ces âneries sur Facebook, Twitter et Instagram. Il n'y est pour rien. Il est aussi désolé que nous de cette situation. Je crains que Marie-Douce doive faire face à la musique…

– C'est inacceptable! ne puis-je m'empêcher de hurler en frappant le bras de Lucien. Marie-Douce est pas prête pour tout ça!

Il n'a pas besoin de savoir qu'elle est du genre à s'enfermer dans un placard à balais, mais il doit tout de même comprendre le « cas » de Marie-Douce!

Il est si solide que mes coups ne le font même pas bouger d'un seul centimètre. Sa seule réaction est de me regarder comme si j'étais cinglée.

– On le sait, ça, Laura! dit Corentin. Lucien dit seulement ce qu'il sait.

– Tout ça, c'est de ta faute, dis-je à Lucien, les sourcils froncés, l'index piquant sa poitrine. Si Marie-Douce t'avait pas rencontré, ton foutu Harry Stone ne lui aurait jamais parlé et sa photo ne se serait jamais retrouvée sur Internet. D'ailleurs, sais-tu qui a pris cette maudite photo?

– Ouais… c'est un pote qui croyait faire une bonne blague.

– C'est pas drôle PANTOUTE!

– Pantoute? demande Lucien.

Je SAIS qu'il a très bien compris ce que « pantoute » signifie. Sinon, je vais le lui enseigner vite fait bien fait avec mon poing au menton. Il va voir qu'il ne pourra pas rire de moi longtemps…

Corentin s'avance dans ma direction, décidé à me calmer. Il pose ses mains sur mes épaules pour me maintenir en place parce qu'il a deviné que j'allais me jeter au visage de son « pote ».

– Du calme, Laura. Lucien n'y est pour rien. Tu ne fais qu'envenimer la situation!

Je me tais, mon regard allant de l'un à l'autre.

– Ça va, tu peux me lâcher. Je ne vais pas lui arracher la tête tout de suite. Combien de temps vas-tu rester ici ?

À voir le sourire malicieux de Lucien, j'ai presque peur de sa réponse…

– Jusqu'au Nouvel An, peut-être plus. Voilà, tu peux exprimer ta joie…

Encore quatre mois à endurer ce monstre ?

Ça y est, je pense que je vais mourir.

Cette fois, c'est vrai.

Chapitre 25

Un orage romantique

Je ne veux pas épier la conversation entre Lucien, Corentin et Laura qui se déroule dans le corridor près de ma porte, mais c'est plus fort que moi. Ma sœur parle si fort et elle est si énervée que c'est difficile de ne pas l'entendre.

Ayayaye... Lucien n'y va pas de main morte pour faire fâcher Laura. Je comprends maintenant pourquoi elle était si en colère et je suis touchée de toute l'énergie qu'elle déploie pour venir à ma défense. Elle aurait pu être jalouse de toute l'attention qu'on me porte depuis mon retour, elle qui a l'habitude de voir tous les regards converger dans sa direction. Elle me surprend et m'impressionne.

Est-ce que Lucien a bien dit « jusqu'au Nouvel An, peut-être plus » ? Alors il va bel et bien rester ici quelques mois ? Peut-être pas chez les Cœur-de-Lion, je suis certaine que Jessica Varnel-Smith a les moyens de se louer un appartement, une maison, peut-être même un petit château, tant qu'à y être ! Lucien ne sera pas ici tout le temps, c'est sûr ! Sera-t-il inscrit à la Cité-des-Jeunes ? Nooon... Impossible. Sa mère va lui dénicher un professeur privé, elle l'a peut-être même apporté dans l'une de ses nombreuses valises !

Je fais les cent pas dans ma chambre. Je me suis rhabillée tout en écoutant à travers la porte. Si

Lucien n'était pas là, j'aurais revêtu mon pyjama puisque l'heure du coucher n'est pas loin, mais là... il n'en est pas question! Je me suis glissée dans mon meilleur jean (un autre achat fait à Paris avec Miranda) et j'ai enfilé un t-shirt à la va-vite. J'approche ma main de la poignée, hésitant entre ouvrir et me mêler à leur conversation et rester en sécurité, dans l'intimité de ma chambre.

Arrgh, Marie-Douce, un peu de courage, voyons!

Après une grande inspiration, je tire la porte. Dans le couloir, trois têtes se retournent. Ils ont tous la même posture: bras croisés, sourcils levés, lèvres pincées. Il y a de la tension dans l'air!

Mon regard passe de Laura, à qui je fais un petit sourire de gratitude, à Corentin, qui baisse les yeux en reculant contre le mur, à Lucien. Ce dernier lâche un soupir difficile à interpréter. Mon cœur bondit et mes mains s'engourdissent tellement je suis nerveuse. J'aurais envie de m'élancer dans ses bras et de le serrer très fort!

Plusieurs choses me freinent: son attitude envers Laura, mon respect pour les sentiments de Corentin et aussi (surtout) ma timidité extrême! Et s'il ne partageait pas mes sentiments à son égard? J'aurais l'air d'une idiote de me jeter dans ses bras. Corentin ne m'a-t-il pas dit qu'il fallait se méfier de

Lucien Varnel-Smith? Pourtant, rien dans ses yeux ne m'indique qu'il n'est pas aussi heureux que moi d'être là. Il semble très ému de me revoir. Ouffff, je n'aurais pas dû le regarder, il me fait fondre!

— Marie-Douce... dit-il.

Je lève la main pour l'arrêter alors qu'il s'avance pour me faire la fameuse bise française.

— Laura est ma sœur et ma meilleure amie!

Malgré les papillons qui tourbillonnent dans mon estomac à la seule présence de Lucien, je garde un ton ferme. S'il est intelligent, il comprendra le message. Mon soulagement est immense lorsqu'il hoche la tête pour m'indiquer qu'il a compris. Un faible sourire accompagne son geste.

— J'ai voulu t'écrire...

— Je... euh, j'ai pas de courriel. Mon père ne veut pas.

Oh mon Dieu, je viens de lui dire que je suis un gros bébé lala...

— C'est ce que Tintin m'a dit. C'est pas grave, je suis là, maintenant.

— Ouaip... t'es certainement là, marmonne Laura dans son coin. Dur à manquer! Pfff!

Agacée qu'elle en rajoute, je lui fais de gros yeux. Elle roule les siens, ses bras toujours croisés sur sa poitrine.

— Est-ce qu'on peut juste régler la situation, s'il vous plaît ? fait-elle entre ses dents. Lulu, dis à ton « pote » Harry Stone de se rétracter, c'est pas compliqué, me semble. Tintin, dis à ton « pote » de dire à son « pote » de se la fermer, à l'avenir !

— Laura, on vient de dire que c'est pas Harry lui-même qui a voulu publier cette histoire de Cendrillon, mais son agent !

Corentin et moi soupirons en chœur. Laura est comme un chien féroce qui ne lâche pas le morceau ! Et Lucien… c'est pas un « Lulu » ! Loin de là…

— OK… Okééé… mais je vous aurai avertis !

Le lendemain est un jeudi qui s'amorce sous un ciel gris. J'espère faire un retour en classe le plus discret possible. Corentin et Laura sont silencieux dans la limousine alors que Bruno nous fait une démonstration de sa voix de baryton. Qui se serait douté que notre chauffeur était aussi talentueux ? Pour en ajouter, Lucien se met à produire des sons de *beat box* avec une main sur sa bouche. Corentin roule les yeux.

— Ils faisaient toujours ça, à Paris, ces deux-là. Le mélange d'opérette et de rap est… disons… très original, vous ne trouvez pas ?

– J'aimais mieux la voix de Bruno avant qu'IL gâche tout, marmonne Laura d'un signe de tête vers Lucien.

– Laura, sois bonne joueuse! Lucien fait partie d'un vrai groupe de chanteurs. Il a d'ailleurs le même agent que…

Corentin s'arrête, stoppant d'un coup sec ce qu'il allait dire.

– Harry Stone, peut-être? Est-ce qu'il va le laisser dire des conneries à sa place sur Facebook lui aussi? Pfff!

– Fais pas l'hypocrite, Laura St-Amour! Tu voulais le rencontrer, le beau Harry Stone, quand il a été mentionné que Marie-Douce était invitée à lui rendre visite. Lève pas le nez comme si tu l'aimais pas! l'affronte Corentin. On a découvert ton petit secret…

Entendant cela, Lucien arrête sa prestation et hausse les sourcils, laissant Bruno seul à son solo qui résonne haut fort dans la voiture.

– C'est vrai? T'es *fan* de Harry? demande-t-il à Laura.

Je retiens mon sourire. Le ton de Lucien est amical, il semble avoir à cœur de faire attention. Laura, par contre, semble adorer être en croisade contre Lucien. Cette question lancée sans animosité sabote la dynamique de guerre qu'elle ne cesse d'entretenir depuis hier. Elle est contrariée, ça se voit.

— Ben… euh… pas vraiment. C'est pas mon idole, quand même ! Il est un peu *cute*… et il chante bien. Bon, ça va, regardez-moi pas comme ça ! C'est pas un crime de trouver qu'il a du talent ! C'est pas comme si je m'étais pendue à son cou pour me faire prendre en photo avec lui, moi ! ajoute-t-elle en me regardant.

— Je ne me suis pas pendue à son cou !

— Ah non ? Cendrillon ! Pfff !

— C'est pas de ma faute ! Hé ! Je pensais que t'étais de mon côté, Laura !

Elle se tortille sur son siège, l'air misérable. On est tous sur les nerfs, l'atmosphère dégénère, je déteste ça.

— Je le suis, c'est juste que… que… ah et puis, laisse faire !

— Laisse faire quoi ? Exprime ta pensée ! ne puis-je m'empêcher d'exploser.

— Rien, j'ai rien à dire de plus ! s'écrie Laura, maintenant rouge comme une tomate.

— Hé, les filles, du calme ! s'exclame Corentin en me visant davantage que Laura.

— Ha, ha, t'as même pas un argument qui tienne la route, ironise Lucien à l'endroit de Laura. Serais-tu jalouse de ta sœur, par hasard ?

Je me sens *cheap* d'être touchée que Lucien prenne ma défense contre Laura. Comment fait-il pour me perturber autant ? Est-ce que c'est ça, être en amour ? Ne plus pouvoir contrôler nos émotions ? Je dois me raisonner. Ma confusion n'est sûrement due qu'à l'accumulation : ma célébrité spontanée, ma nouvelle relation avec Laura, l'amour à sens unique que Corentin me porte, la présence de Lucien... le garçon qui hante mes rêves depuis des semaines... Ça en fait des choses à gérer ! Moi qui avais l'habitude de vivre dans l'ombre, c'est un sacré choc !

— Lucien, arrête ! dis-je en m'énervant quand, tout à coup, Bruno freine d'une façon si brusque que nous sommes tous les quatre secoués.

Il ouvre sa portière et la claque très fort. Puis il ouvre la mienne et nous fait signe de sortir d'un air courroucé.

— Vous êtes invivables ! dit-il. Une marche au grand air vous fera du bien. Tout le monde dehors ! Magnez-vous !

— Il peut faire ça ? demande Laura à Corentin.

— Ouaip, mon père lui a toujours dit que c'était lui le patron quand il me conduit. Il faut dire que je devais avoir quatre ans quand Bruno a été engagé…

Il pleut à boire debout et il doit rester plus d'un kilomètre et demi entre l'endroit où nous sommes et l'école. Lucien, qui n'est pas encore inscrit à l'école, pourrait rester dans la voiture et retourner chez les Cœur-de-Lion, mais il descend aussi sans protester.

— Je vais marcher avec vous, dit-il.

— Y a pas moyen de s'en débarrasser, bredouille Laura.

Ignorant le commentaire, je regarde Lucien.

— T'es sûr ?

Il me sourit, les gouttes mouillent déjà ses cheveux bruns et ses joues.

— Oui, s'exclame-t-il en me tendant la main. Viens, courons avant que l'orage frappe ! Dis-moi où c'est, je ne connais pas le quartier !

— Est-ce que tu sauras comment revenir ?

— T'en fais pas pour moi ! me répond-il, sa main chaude couvrant la mienne.

Dans notre élan, j'évite de jeter un regard sur Corentin et Laura. Je cours et je suis en amour. Pour le moment, rien d'autre n'importe.

Chapitre 26

Poule mouillée
POK ! POK !

Tandis que nous marchons du McDo jusqu'à l'école, la tristesse de Corentin m'ébranle. Marie-Douce s'est laissé entraîner par Lucien, ils courent devant nous comme si nous n'existions plus. Elle est amoureuse, c'est clair. J'aimerais ne pas lui en vouloir et être compréhensive, mais j'en suis incapable. Ma haine pour Lucien est trop forte et ma peine pour Corentin trop vive. Je sors mon parapluie de mon sac et Coco et moi faisons le chemin sans nous presser, épaule contre épaule sous la toile de nylon rose.

— Elle va finir par se rendre compte que Lucien, c'est pas un bon gars, dis-je dans une tentative de le consoler.

Corentin secoue la tête.

— Il n'est pas mauvais, juste excessif. Il a surtout un très grand sens de l'honneur. Mais je le connais, il va lui briser le cœur. La chute sera rude.

— Pas mauvais ? Le sens de l'honneur ? C'est quoi ces conneries ? Je le déteste, t'as pas idée ! Aaaargh ! Depuis la première seconde où je l'ai vu. C'est rare que ça m'arrive de haïr quelqu'un à ce point-là !

— Lucien ne laisse personne indifférent, ça c'est sûr, répond Corentin, toujours plus calme que moi.

Tu devras t'habituer à sa présence, il va rester un bon moment.

– Ça t'écœure pas, toi ? Il te pique Marie-Douce sous ton nez ! Des amis, ça fait pas ça !

– Peut-on changer de sujet ? demande-t-il en soupirant. Je commence à trouver ça pénible.

Je cherche autre chose pour alimenter la conversation, mais c'est peine perdue. Lucien m'enrage trop !

– Et pourquoi il perd des mois au Québec alors qu'il a supposément un groupe de musique et le même agent que Harry Stone, han ? Ça sent le gars qui a fait un coup pendable et qui s'est fait renvoyer de son école !

– T'as presque frappé en plein dans le mille, Laura. Les parents de Lucien l'éloignent de son groupe parce que ses potes commençaient à déconner, paraît-il. J'ai des doutes… Je ne pense pas qu'il suivait les autres, c'est pas son genre.

– Ah oui ? Ils ont fait quoi ?

– Pas de tes oignons. Ne parlons plus de Lucien, tu veux ?

Alors ça, ça sera difficile ! Corentin vient d'ouvrir une grosse « canne de vers ». En plus, le monstre parisien m'a fait sortir de mes gonds, j'ai du mal à penser à autre chose. Je n'ai en tête que les bêtises que j'ai dites ou me suis abstenue de lui dire et le visage rosi par l'amour de Marie-Douce.

L'avant-midi se passe sans trop de drame de mon côté, ce qui n'est pas une mauvaise chose, considérant les montagnes russes d'émotions que je vis depuis hier.

Constance et Samantha font comme si la vie était normale (pour elles, rien n'a changé!) et jasent de choses que je trouve inintéressantes, mais je me tais. Après tout, je n'ai rien de palpitant à ajouter non plus. Je me suis abstenue de leur parler du vilain Lucien. Comme je les connais, la curiosité les aurait poussées à poser tout plein de questions et le « pote » de Corentin est la dernière personne à qui j'ai le goût de penser!

À midi pile, nous sommes dans la cafétéria. Gisèle, la cuisinière des Cœur-de-Lion, m'a encore concocté un lunch digne d'une reine. Le retour à la normale loin de ses prouesses culinaires sera rude, j'en ai bien peur. Me faire moi-même des sandwichs au baloney sera un sacré choc! La bonne nouvelle, c'est que je n'aurai plus Lucien Varnel-Smith dans les pattes.

— Je crois que Marie-Douce est devenue une zombie…

Chère Samantha, toujours là pour dire tout haut ce que tout le monde pense tout bas. Elle n'a pas tort. Ma chère sœur semble dans les vapes depuis ce matin. Je n'ai pas vu la façon dont Lucien l'a quittée (valait mieux pas! Ark!), mais je me doute qu'il s'est passé quelque chose de répugnant, comme un baiser de la part du monstre, par exemple. Quand on l'a croisé, sur le chemin du retour, il nous a à peine adressé un signe de tête pour nous saluer avant de disparaître en direction de Vaudreuil-sur-le-Lac.

Silencieuse comme jamais, les cheveux et le maquillage défaits par sa course sous la pluie, Marie-Douce nous a suivies dans le tunnel qui mène à la cafétéria comme si elle volait sur un nuage. J'ai eu le goût de la secouer pour la réveiller, mais je me doute que c'est peine perdue. Et puis, je préfère reporter mon attention sur ma propre vie sociale. Moi aussi, j'ai un garçon qui me fait rêver!

En temps normal, nous choisissons la cafétéria « santé ». Il y a moins de monde et notre place est toujours libre. Constance y tient, elle n'aime pas le chaos. Pour une raison qui m'échappe, aujourd'hui nous sommes montées à l'étage de la grande cafétéria. Peut-être que je me mens un peu à moi-même... peut-être ai-je vu Samuel y aller, hier? Peut-être que j'ai eu une soudaine envie de le suivre?

Toujours est-il que quand j'ai dirigé mes pas vers l'escalier que nous n'empruntons jamais, Constance n'a fait que suivre sans broncher. Samantha était contente, elle préfère la grande cafétéria. Elle n'a jamais dit pour quelle raison, mais mon petit doigt me dit que c'est parce qu'ils y servent des frites. Une fois devant l'entrée de la grande salle bondée de jeunes énervés, Constance a chuchoté à mon oreille :

— Samuel est assis tout au fond. Tu veux la table à côté ou tu préfères qu'on s'installe avec lui et ses amis du hockey ? Érica est absente, en plus...

Érica, absente ? Comment n'ai-je pas remarqué ça depuis la toute première minute de mon arrivée dans la salle F ce matin ? J'ai le goût de faire une petite danse pour célébrer l'événement. Suis-je méchante d'espérer qu'elle ait une énorme gastroentérite ?

— La table d'à côté !

— Poule mouillée ! me taquine Constance.

— Pourquoi tu dis qu'elle est une poule mouillée ? demande Samantha.

— Pour rien ! répondons Constance et moi, en chœur.

La nièce de Constance se renfrogne, les mains sur les hanches.

— Avez-vous fini vos cachotteries ? C'est pas juste, vous ne me dites jamais rien !

— Y a pas de cachotteries, t'hallucines encore, Samantha !

Pauvre Sam. Constance lui fait ça tout le temps. La laisser croire qu'elle est dans le coup, qu'on ne lui cache rien, alors qu'on parle souvent en code ou en murmure pour éviter qu'elle comprenne. Samantha n'est pas méchante, mais elle est incapable de se la fermer, surtout quand le sujet est délicat. Si elle vient à se rendre compte que j'aime son frère jumeau, je suis cuite. Il saura tout dans la seconde !

Nos pas nous dirigent vers une table où quatre places sont libres. J'ai presque oublié que Marie-Douce nous accompagnait tellement elle se fait fantomatique. Corentin est allé au gymnase pour lever des poids au lieu de nous suivre à la cafétéria. Il dit que ça lui fait du bien de forcer sur de la fonte. Il n'a pas envie de regarder Marie-Douce voguer parmi les étoiles de son premier amour alors qu'il est lui-même amoureux d'elle. Je peux le comprendre sans difficulté. Quelle situation intenable !

Les tables sont longues et les bancs y sont accrochés. On n'a qu'à se glisser les uns contre les autres pour s'y installer avec nos lunchs. C'est ce que je fais, le regard tourné vers Samuel qui me fait face à l'autre table. Avec diligence, je m'arrange pour être placée droit devant lui. Si je pouvais juste arrêter de le fixer, mes petites manigances seraient plus discrètes.

Il s'amuse avec ses amis. Ils se lancent des morceaux de sandwichs, leurs cuillères de plastique servant de lance-croûte. Drôle comme il semble plus détendu en l'absence d'Érica! Si j'en crois Samantha, Érica l'empêche de fréquenter ses copains du hockey. Je suis surprise qu'il se laisse mener par le bout du nez par cette idiote. L'amour rend aveugle, paraît-il. J'en ai un autre exemple sous les yeux. Devant moi, Marie-Douce grignote notre superbe couscous aux pommes et fromage feta du bout des lèvres. Elle a perdu son appétit! Ça ne risque pas de m'arriver, même si un jour Samuel Desjardins devient mon chum!

– Hé, Marie-Douce! Je suis contente de te voir! fait une voix familière à mes côtés.

Zuuuut! J'étais si concentrée sur Samuel que je n'ai pas vu Alexandrine Dumais arriver. Elle est assise à ma droite avec Clémentine, Dariane et Mathilde. Elle a fait exprès pour saluer Marie-Douce en m'ignorant.

– Salut, répond ma sœur sans la regarder.

Oh, j'ai l'impression d'avoir un déjà-vu! Voilà que Marie-Douce reprend son air gêné, celui qu'elle avait tout le temps l'an dernier quand elle n'avait pas de vie sociale.

— On ne parle que de toi partout dans l'école. Si t'as besoin d'avoir la paix, tu sais où me trouver, han, Marie-Douce?

Ma sœur hoche la tête, toujours en jouant avec sa fourchette.

— Ben voyons… ne puis-je m'empêcher d'intervenir. Depuis quand le bien-être de Marie-Douce te tient tant à cœur, Alex? Tu la snobes depuis le primaire. Tu m'as déjà dit toi-même qu'elle était plate. Et là, parce qu'elle a changé et qu'elle connaît Harry Stone, tu penses qu'elle va être ton amie? Tu te mets le doigt dans l'œil jusqu'au coude!

— Elle peut répondre elle-même! rétorque Alexandrine sans se laisser démonter. Marie-Douce, tu vas vraiment laisser Laura parler à ta place?

Au lieu de riposter, ma sœur secoue la tête, les poings serrés sur la table. Je vois très vite des larmes envahir ses yeux. Mon cœur se serre, je ne comprends pas sa réaction.

Devant moi, à l'autre table, Samuel a cessé de jouer avec les croûtes de sandwichs. Lui et les autres gars nous regardent comme si le spectacle en valait le coup. J'ai l'air de la méchante qui a fait pleurer la fille fragile ! Pourquoi faut-il toujours qu'il m'accorde son attention quand je suis en mauvaise posture ?

Chapitre 27

Le sens de l'honneur

Un zombie, voilà ce que je suis depuis ce matin.

Main dans la main, Lucien et moi avons couru du McDo jusqu'à la Cité-des-Jeunes. La pluie frappait mon visage, mouillait mes cheveux et mes vêtements, mais je m'en fichais comme de l'an quarante.

— C'est là-bas! ai-je annoncé lorsque j'ai vu la bâtisse de l'école, au loin.

Lucien a ralenti le pas sans lâcher ma main. Il n'était même pas essoufflé. J'ai beau être en forme, mon cardio n'est pas au top de son potentiel! Ma poitrine montait et descendait alors que je marchais à ses côtés. Par réflexe davantage que par ma volonté, j'ai libéré mes doigts des siens pour appuyer mes paumes sur ma poitrine et tâcher de régulariser mon souffle.

— Ça va, Marie?

J'ai acquiescé de la tête. C'était plus facile que de parler. Il s'est posté devant moi, ses mains sur mes épaules.

— Tu ne cours pas souvent, toi.

— Par contre, toi, t'es une machine!

— C'est grâce au rugby.

— Je devrais jouer, ça me ferait du bien!

— Pas sans moi pour te défendre.

J'ai cligné des paupières plusieurs fois, surprise. Il a cette façon de dire des choses touchantes qui me donne des papillons dans le ventre. Comme cette façon qu'il a eue de me dire qu'il veillerait sur moi.

– Lucien…

La pluie continuait de tomber. Le silence a rempli notre conversation. C'était un de ces moments figés dans le temps, comme dans les films, lorsque le héros et l'héroïne se taisent avant de s'embrasser. Ma timidité m'a encore trahie, j'ai fui son regard jusqu'à ce que, de son index, il me force à lever le menton.

– Hé, j'ai pensé à toi.

J'ai retenu mon souffle. J'avais enfin le loisir de le regarder de près. En voyant ses traits et l'intensité de son expression, une réalité m'a frappée : Lucien n'a pas mon âge. Il a quinze ans, il est dégourdi, il a vu neiger ! De plus, Lucien n'est pas comme les autres gars, on dirait qu'il a vécu cent vies. Moi, du haut de mes presque quatorze ans (dans trois semaines, c'est loin quand même), je suis tellement maladroite !

– Je suis contente que tu sois venu, ai-je articulé, non sans peine.

– C'est vrai ?

Certaine que toute ma gamme d'émotions se lisait sur mon visage depuis la veille, j'étais surprise qu'il soit surpris de mon bonheur de le voir !

– Oui, c'est vrai. Je pensais que je ne te reverrais jamais. On s'était dit adieu…

– Mes parents avaient organisé mon arrivée au Québec en octobre. Ils voulaient me sortir de mon milieu. J'ai de mauvaises fréquentations, paraît-il ! C'est… ironique.

– Pourquoi tu dis ça ?

– Parce que dans ma bande, je suis celui qu'on écoute, et non le contraire. JE suis la mauvaise fréquentation, s'il en est une, m'a-t-il avoué sans me donner de détails. On a fait quelques petits coups pendables, rien de bien méchant, juste un peu dangereux…

– Comme la tête de la statue ? Entre autres ?

Il a souri, dévoilant ses belles dents blanches. Il a porté un appareil dentaire pour avoir une bouche aussi parfaite, j'en mettrais ma main au feu ! Dommage que le rugby lui fasse perdre quelques incisives, tôt ou tard…

– L'appel de Corentin à propos de la photo « Cendrillon » qui circule sur Internet a été un bon prétexte pour venir au Québec plus vite, m'informe-t-il en ignorant ma question. Je ne peux rien faire de plus en étant ici, mais ma mère a gobé mon histoire.

— Quelle histoire lui as-tu racontée ?

— Qu'il fallait venir au Québec, que je devais te voir pour t'aider à gérer la situation.

— C'est tout ?

— Je crois que ma mère cherchait aussi un prétexte pour venir ici. Elle en parle depuis si longtemps. Je n'ai eu qu'à pousser un peu. Elle a un projet avec Valentin.

J'ai ravalé ma salive parce qu'en discutant, il jouait dans mes cheveux, comme un chum le ferait avec sa blonde. J'étais figée, sous le charme, je n'osais pas bouger d'un millimètre de peur qu'il disparaisse ou quelque chose de terrible du genre. Je savais que, d'un côté, la cloche de l'école sonnerait sous peu, et que, de l'autre, Corentin et Laura arriveraient par le boulevard Saint-Charles, puisque nous les avions laissés derrière nous. Le temps pressait, la magie était devenue euphorisante, chaque seconde avec Lucien était un cadeau du ciel. Je nageais dans le bonheur, même avec mes vêtements détrempés et mon mascara qui avait dû couler sur mes joues. Je m'en fichais.

– Je dois y aller, a-t-il murmuré, la gorge nouée. Laura et Tintin vont arriver. Tu sais que Corentin n'aime pas me voir avec toi. Notre petite escapade n'a pas dû lui faire plaisir.

– Corentin n'a rien à dire !

Il s'est penché, ses lèvres ont effleuré les miennes. Nous avons entendu la cloche, puis les voix de Coco et de Laura. La magie était brisée.

– Entre « potes », dans ma bande, il y a des règles. Les histoires de cœur en font partie. Corentin t'aime, je dois me retirer. C'est notre loi.

– Mais c'est toi le chef de la bande ! Tu peux changer ces règles stupides !

Lucien a secoué la tête, son expression était triste.

– Ça ne fonctionne pas comme ça. Je suis le leader, pas le roi. Je suis déjà allé trop loin. Pardonne-moi, Marie.

Chapitre 28

La vie est injuuhuuuste

Le retour chez les Cœur-de-Lion se passe dans un silence infernal. Corentin est muré dans son coin, le menton appuyé sur sa paume, les yeux sur le paysage qui défile dehors. Marie-Douce regarde ses souliers, des ballerines de cuir impossibles à dénicher au Québec, un autre achat de Miranda à Paris, sans doute. Et moi, je les épie, l'un et l'autre, Marie-Douce assise à ma gauche et Corentin devant moi, tournant le dos à Bruno qui conduit en chantonnant.

Je commence à avoir hâte de retourner chez Hugo et ma mère. Qui eût cru que je dirais ça un jour? Moi qui ai tant voulu m'enfuir de cette maison du Vieux-Vaudreuil! C'est désormais mon vrai chez moi. La résidence de Corentin est impressionnante, mais ma mère n'y est pas, ni Hugo, que j'ai appris à apprécier, ou même Trucker, le gros toutou qui mange mes souliers. Lui aussi me manque, c'est dire à quel point j'ai hâte de revenir!

Après une attente interminable aux feux de circulation (c'est là qu'on se rend compte que même les riches perdent leur temps aux foutus feux rouges!), nous arrivons chez Corentin.

Ah non, pas encore lui! Lucien est assis sur les marches de pierre. Il lit un roman. Je suis surprise qu'il sache déchiffrer l'alphabet et comprendre des phrases, mais je m'abstiens de tout commentaire sur son QI.

Marie-Douce a refusé de m'expliquer la raison de ses larmes, tout à l'heure. Je ne peux qu'imaginer que le monstre parisien soit en cause dans son malheur. Lucien, ça ressemble à Lucifer, le diable en personne. Voilà comment je vais l'appeler dorénavant !

Je descends de la voiture en premier, tirant avec moi mon sac à dos. Lorsque j'arrive à la hauteur du monstre, je ne manque pas de le saluer avec tout le respect qui lui est dû :

– Salut, Lucifer…

Il lève les yeux de son livre un bref instant avant de secouer la tête et de le fermer brusquement.

– Où est Corentin ?

Ah… pas de salutations pour moi ? Comme je suis surprise ! Il n'a aucun savoir-vivre. Je le savais, qu'il n'avait pas d'allure.

Derrière moi, Marie-Douce suit Corentin alors qu'ils s'approchent de la résidence. Lucifer (ah ! j'adore l'appeler comme ça !) se lève et emboîte le pas à son ami après avoir lancé un regard triste à Marie-Douce qui n'a pas daigné lever les yeux vers lui !

C'est donc bien à cause du monstre qu'elle pleure depuis des heures. J'aurais cru qu'il prendrait plus de temps avant de lui briser le cœur. Il est plus efficace que je ne l'avais soupçonné, monsieur Tranche-cœur. Je ne connais rien à l'amour, mais casser après quelques heures, c'est vite un peu, je trouve. Maintenant que la situation est claire, je dois faire quelque chose! Mon premier réflexe est de me jeter sur ma sœur.

— Marie-Douce, viens avec moi!

Elle me suit sans protester. Nous gravissons ensemble les marches de pierre, passons l'énorme porte du hall d'entrée, croisons Gisèle qui saisit nos sacs à lunch et montons à l'étage de sa chambre pour nous y enfermer en claquant la porte.

Marie-Douce s'effondre sur son lit. D'une position assise, elle chavire sur le côté, les mains dans la face, les épaules sautillantes. Un long sanglot s'échappe de sa gorge.

Oh, mon Dieu! Je ne sais pas quoi faire. J'hésite entre la prendre dans mes bras pour la consoler, regarder qui m'envoie des messages textes sur mon iPod ou aller casser la gueule à Lucien Varnel-Machin!

Des trois options, je choisis l'action la plus urgente: consoler ma sœur.

– Là… là, dis-je, une fois assise sur le lit.

De ma paume, je tapote son dos. Je suis d'un ridicule, c'est pathétique. Comment faire pour la prendre dans mes bras et lui permettre de pleurer contre moi ? Je ne sais pas comment m'y prendre. Dois-je la soulever ? Elle n'est plus la petite puce que j'ai connue l'an dernier ! J'ai peur de la brusquer, elle a tellement l'air de souffrir !

– Est-ce que tu veux un câlin ?

Est-ce que je viens vraiment de dire ça ? Je dois être désespérée pas pour rire ! À ma grande surprise, elle se redresse et se jette dans mes bras, sa tête blonde blottie contre mon épaule. Je suis si étonnée que j'oublie de refermer mes bras sur elle, ce que je fais dès l'instant où je me rends compte que ma réaction est digne d'un film comique muet des années vingt !

– La vie est injuuhuuuste…

– Qu'est-ce qu'il t'a fait, le gros monstre, han ? Raconte tout à ta sœurette d'amour !

– Il… il… respecte les sentiments de Cooo… reen… tiiinn… Et… il y a… comme… une… loooi…

– Une loi ?

Ma sœur hoche la tête en se détachant de moi. Son nez coule à flots, ark ! Elle a besoin d'un mouchoir. Sans m'éloigner d'elle, je m'étire vers sa table de chevet pour saisir sa boîte de Kleenex décorée de marguerites en plastique. Alors qu'elle se mouche assez fort pour que toute âme sur l'étage l'entende, je lui frotte le dos sans relâche (je me sens utile).

– Oui… Ils sont comme un genre de groupe secret… ben, en fait, c'est pas secret parce que c'est des chanteurs *a capella* en plus d'être un genre de fraternité dont Lucien est le chef.

– Quoi ? Qu'est-ce que tu racontes ? Je ne comprends rien !

– À Paris, la gang d'amis de Corentin, ils se font des *meetings* avec un ordre du jour et toute la patente. Ils relèvent des défis, font des affaires… euh… un peu risquées.

Je secoue la tête. Ça ne sent pas bon, ces histoires de défis risqués. Mais ça m'intéresse au plus haut point ! On dirait des histoires qu'on ne voit que dans les films !

– Ah ouin… ils font quoi, par exemple ?

– Il y avait une histoire de tête de statue volée et vendue sur eBay. Ce qu'ils font, c'est surtout chanter. Ils ont des voix splendides !

– Hé, woh, attends ! Corentin a aussi une voix splendide ?

Elle éclate de rire sous ses larmes.

— Noooon… mais il fait partie de la bande parce qu'il est un vieux « pote » de Lucien.

— Est-ce que Harry Stone fait partie de la gang ?

— Je ne crois pas. C'est pas dans leur repère secret que j'ai rencontré Harry, mais plutôt chez Lucien.

Je me lève d'un bond. C'est une information hyper importante !

— Attends, tu veux dire que Harry Stone était CHEZ Lucien ? Dddd… dans son salon ?

— Oui, dans son salon.

— C'est là que la photo virale a été prise ?

— Ouaip.

Hé, zut ! J'aurais peut-être dû être plus aimable avec Lucifer. Il est plogué en direct avec mon idole ! Ahem… non, pas mon idole. Un bon chanteur *cute*, c'est tout ! Ayayaye, je me laisse déconcentrer ! Marie-Douce est en peine d'amour intense et j'enquête sur Harry Stone. Ce n'est pas très *cool* de ma part.

— C'est quoi cette histoire de loi ?

Marie-Douce prend un autre mouchoir pour essuyer ses joues. Sa peau est encore couverte de plaques rouges tellement elle a pleuré. Ça, c'est l'inconvénient d'être blonde (il faut bien qu'il en existe un!). Quand elle pleure ou s'énerve, sa peau dévoile toutes ses émotions…

— Ce que j'ai compris, c'est que les gars suivent certaines règles, comme un code d'honneur. Et sortir avec une fille dont un autre membre de la gang est amoureux, ça ne se fait pas. Donc…

— Il t'a *flushée* à cause de Corentin…

Marie-Douce tire un troisième Kleenex de la boîte et se mouche de nouveau.

— Ouaip…

— Et si Coco n'était pas amoureux de toi…

Elle hausse les épaules en manipulant son mouchoir souillé. Je m'étire encore pour attraper la poubelle rose, elle aussi décorée de marguerites en plastique. Je lui tends le récipient, elle y jette son mouchoir. Voilà une bonne chose de faite! Ark!

— Lucien aurait eu le champ libre.

— Alors… c'est ça que Corentin voulait dire par « sens de l'honneur »…

À cette réflexion dite à voix haute malgré moi, elle bondit du lit.

— Quoi? Coco t'a parlé de ça?

— Oui, quand on marchait derrière vous. Il a prédit que Lucien allait te sacrer là. Il a aussi mentionné ce truc d'honneur…

— Alors, il savait que j'aurais le cœur brisé et il n'a pas libéré Lucien de ce règlement à la con ! Ah ! Je vais le tuer…

Le visage de Marie-Douce vient de changer de couleur. Je n'ai jamais vu ses yeux aussi virulents de colère. Oh, mon Dieu ! Je viens de manquer une bonne occasion de me taire ! Je viens de provoquer toute une tempête. Pauvre Corentin, il se fera mettre au plancher par la karatéka (ça fait un peu mon affaire que ça ne soit pas moi, pour une fois) enragée !

Chapitre 29

Quand il pleuvra
des poulets

Je n'ai pas tué Corentin. Comment le pourrais-je ? Il est mon point d'appui depuis des mois, il m'aime (trop ! Mais on ne contrôle pas l'amour, paraît-il) et il veille sur moi. Par contre, pendant un long moment, je peux dire que je l'ai haï, hier soir. Quand j'ai voulu sortir de la chambre pour lui arracher les yeux, Laura m'a retenue.

– Hé, on se calme, miss karaté-ceinture-brune !

J'ai vite su qu'elle avait raison. Je n'ai pas résisté à son intervention. Je me suis couchée sur mon lit, l'oreiller sur la tête.

Le pire, c'est que Lucien rôde quelque part dans la maison. Dort-il dans la chambre de Corentin ? J'imagine bien que non. Il y a plusieurs chambres d'amis qu'il peut occuper. Une chose est sûre, il est sur cet étage. Cette proximité n'aide en rien mon pauvre cœur et mes pauvres nerfs.

Le reste de la soirée, j'évite de sortir de ma chambre. Laura m'a apporté un plat chaud : des linguines aux fruits de mer concoctés par Gisèle et placés sous une cloche d'argent. On se croirait à l'hôtel !

– C'est chic ! ricane Laura. Gisèle a tenu à te faire une belle présentation. Elle prend sa *job* au sérieux, cette bonne femme.

— C'est dommage que j'aie pas faim. T'aurais dû lui dire de me servir une portion de bébé, c'est du gaspillage…

— Il faut que tu manges, Marie-Douce. Ça fait déjà plusieurs jours que tu joues avec ta fourchette sans avaler plus d'une ou deux bouchées !

— Ça bloque dans ma bouche, j'y peux rien. T'inquiète pas, ça va passer.

Laura roule les yeux. Je ne suis pas étonnée, ça fait des jours qu'elle me surveille quand je mange (ou plutôt, quand je fais des petits tas avec ma nourriture pour ensuite les aplatir de ma fourchette).

— Quand ? Han ? Lucien vit ici, toi aussi, tu vas l'avoir dans la face autant à la maison qu'à l'école. Il faudrait qu'il reparte d'où il vient !

— Pas tant à l'école, l'ai-je corrigée. Il sera placé en secondaire 4. Il sera dans la salle G.

— Pff, tu sais très bien que, pendant les pauses, tu vas aller te pointer le bout du nez pour voir ce qu'il fait !

— Non, parce que tu vas m'en empêcher. Je t'en prie, Laura, laisse-moi pas devenir une de ces filles obsédées qui soupirent en regardant le gars de leurs rêves de loin !

Sans que je ne comprenne quelle mouche l'a piquée, Laura se lève bien droite, croise ses bras sur sa poitrine et fronce les sourcils.

– Hé! C'est pas toutes les filles qui ont les garçons à leurs trousses et qui n'ont qu'à choisir! Un peu d'empathie pour les autres, Marie-Douce!

Je mange à mon bureau de travail, assise sur mon fauteuil à roulettes et Laura est debout derrière moi. Je me retourne si vite que je fais un tour sur moi-même sans faire exprès!

– Voyons, Laura! Mais de quoi tu parles? Pourquoi est-ce que ce que je viens de dire te fâche autant?

Les lèvres pincées, elle soupire, laissant tomber ses bras sur ses flans.

– T'es pas la seule à avoir de la misère, marmonne-t-elle.

– Non, c'est sûr. Je m'excuse, j'ai parfois l'impression d'être la seule à qui tout arrive. Laisse-moi te dire que j'aimerais beaucoup passer mon tour, des fois.

Comme elle ne parle pas, jouant du bout des orteils avec sa pantoufle, je finis par comprendre. Laura parle d'elle-même! Quelle sœur égoïste et insensible je fais!

– Attends… t'as un problème de gars?

– …

Les lèvres pincées, le regard qui fixe le plafond, on dirait qu'elle va exploser !

– Es-tu en amour ?

Je viens de poser la question-qui-tue. Elle roule les yeux avant de se laisser tomber sur mon lit.

– Ben non ! Je ne suis pas en amour, voyons ! Il va pleuvoir des poulets avant que je sois en amour !

– Mais, alors, quoi ?

– C'est juste… ah et puis, laisse faire ! C'est trop nono ! Mes problèmes sont niaiseux, à côté des tiens. Je me sens conne…

Je me lève pour prendre ses mains dans les miennes. Pour une fois que je ne suis pas concernée, je suis trop heureuse de me concentrer sur quelqu'un d'autre. Et puis… ça me change les idées !

Au moment où on s'assoit face à face sur mon lit, elle porte ses mains à son visage.

– C'est… euh… ah zut… Tu vas rire de moi.

Même si je me doute bien de qui elle veut parler, je veux qu'elle le dise. Si je lui fais croire de ne pas l'avoir vue obséder sur un certain garçon dont les cheveux ont un subtil reflet roux, dont le talent au hockey est indéniable et dont la tante n'est autre que son amie, peut-être pourrai-je la convaincre que rien n'y a paru et que personne n'a rien remarqué.

– Laura, je ne rirai jamais de toi. Tu me connais mieux que ça. Vas-y, je t'écoute.

– Aarrrfff…

– Fais comme on enlève un diachylon : d'une seule traite. Tu peux même fermer les yeux, comme ça, tu ne verras pas ma réaction.

– Tu vas trop rire… dit-elle.

– Lauraaaaa…

– OK, OK…

Je fais mine de vérifier l'état de mes ongles. Elle soupire avec force et rage.

– J'aime Samuel. Bon, tu peux rire !

Je souris tel un grand sage. Drôle que ce soit moi, la fille « expérimentée » avec les garçons, désormais. C'est le monde à l'envers.

– Ai-je l'air de rire ?

– Tu souris et tu te dis dans ta tête que Samuel est pas intéressant et que tu ne comprends pas pourquoi moi, je l'aime. Tu te dis que j'ai pas de goût et, en plus, tu te dis qu'il a déjà une blonde, que je suis niaiseuse et aaaarff…

Je la regarde, bouche bée. Où va-t-elle donc piger toutes ces conneries ? Elle croit que MOI, je vais la juger ? Elle n'a pas encore compris comment je suis bâtie. Je l'admire depuis des années. Je voulais être comme elle. Non. Je voulais ÊTRE elle !

– J'ai déjà eu un béguin pour lui. Regarde-moi pas comme ça, c'est vrai. C'était l'an dernier. Évidemment, il a jamais rien su et, de toute façon, il ne m'aurait jamais remarquée. Il te regardait tout le temps !

– Aaaaaaaaaah ! Au secooooours ! Dis-moi pas çaaaaaa !

Pourquoi elle n'est pas contente ? Cette fille me surprendra toujours. Laura se roule sur mon lit en gémissant. Je cligne les yeux, incrédule devant sa réaction.

– Ben voyons, Laura ! C'est une bonne chose, non ?

Elle est maintenant à plat ventre sur l'édredon et frappe de ses poings et ses pieds sur le matelas.

– Je suis conne, je suis conne, je suis conneeeeuh ! J'ai tout gâché ! TOUT GÂCHÉ, comme une connneeeuuuh ! Je suis une petite mouche idiote sur le bout de son soulier. Je suis une fourmi sur le plancher. Je suis…

– … une fille qui exagère pas mal et qui devrait se calmer tout de suite !

Elle s'arrête d'un coup, le visage tourné sur le côté, la bouche déformée par la position de sa joue aplatie sur le couvre-lit.

– Tu ne sais pas ce que j'ai fait…

— Je suis certaine que c'est pas si terrible. T'es une fille intelligente. Si tu as fait quelque chose, c'était pour le mieux, c'est sûr.

— Non, sérieux, Marie-Douce, je suis débile, j'en suis certaine.

— Alors, raconte-moi.

Chapitre 30

Sens horaire ou antihoraire ?

J'ai tout raconté à Marie-Douce. La fois où Samuel a voulu me dire un simple « allô » et que j'ai tout gâché par mon attitude hautaine, la fois où il a voulu savoir (devant Érica !) si j'avais un attrait quelconque pour lui et que je lui ai ri au visage. Je lui ai détaillé toutes les heures passées, non seulement en maths, mais aussi en histoire, en éducation physique, en français et en arts plastiques, à fixer Samuel comme s'il était un ange descendu du ciel pour sauver mon âme ou quelque chose du genre. Bref, toutes ces petites chances perdues et toutes les imbécillités qui peuplent mes journées dès que Samuel Desjardins est concerné.

Elle m'écoute sans m'interrompre. On dirait qu'elle prend des notes, un peu comme ces psys qu'on voit à la télé avec leur bloc-note et qui hochent la tête sans rien dire, alors que le patient un peu ding-ding raconte ses problèmes. Nous deux, en ce moment, c'est exactement ça. Un psy et sa patiente.

— Lui as-tu déjà proposé de faire une activité ensemble ? demande-t-elle.

— Oh, mon Dieu, t'es pas sérieuse, là ? Tu veux ma mort ? Il sort avec Érica et je suis hyper mal à l'aise de lui parler !

— T'es pas gênée quand il s'agit de parler de hockey ! Tu pourrais lui parler de ça… et, en douce, proposer une sortie, tout simplement…

Figée sur place, je la dévisage, clignant des yeux plusieurs fois.

— Euh… SIMPLEMENT ? T'es sérieuse ?

— T'as raison, c'est pas si évident. Surtout avec sa sœur Samantha dans les parages. Elle est pas très discrète…

— Samantha est pas au courant, et je suis prête à tout pour que ça reste comme ça. Tu ne lui dis rien, HAN !

Marie-Douce lève les deux mains.

— Juré craché !

— Pas besoin de cracher, je sais que tu connais trop bien Samantha pour aller lui raconter des choses comme ça. Constance le sait, par contre.

— Constance est au courant pour Samuel ?

— Oui, et elle est gentille. Elle essaie de m'aider, mais il y a toujours la maudite Érica dans les parages. T'as une suggestion pour me débarrasser d'elle ?

— Oui, mais ça ne serait pas légal, répond-elle avec un sourire complice.

Je me rassois, presque prête à rire. Ma sœur, c'est la meilleure.

– Mais, y a pas juste ça...

– Quoi d'autre ? demande-t-elle.

– Tu ne vas pas me croire... et tu vas vraiment me trouver bébé lala...

– Laura, allez !

– J'ai euh... jamais... ah non, je ne peux pas croire que je te raconte ça ! Toi, tu l'as fait deux fois ! C'est 2-0 pour toi !

– Deux fois quoi ?!

Je tortille mes mains. Drôle comme elles sont devenues moites en quelques secondes !

– Ben... tu sais...

– Ben... non... je ne sais pas... répond-elle sur le même ton.

– J'ai jamais embrassé de garçon...

En disant ces mots, je plaque un oreiller sur ma tête pour cacher mon embarras. Je ne reste pas dans le noir bien longtemps, Marie-Douce l'arrache de ma poigne pour me frapper avec !

– Espèce de cruche ! J'ai jamais embrassé de garçon non plus ! s'exclame-t-elle en riant.

– Pas vrai ! Corentin et Lucien ! Tu me l'as dit toi-même !

Elle remue son index de gauche à droite pour dénier mes dires.

— Non, non, non... ce sont EUX qui m'ont embrassée !

— C'est la même chose !

— Oh non, ça ne l'est pas !

Je me rassois et m'appuie contre la tête du lit. J'hésite un peu, puis je pose la question qui m'intrigue depuis des jours :

— Est-ce que c'était avec la langue ?

La voilà qui rougit comme une tomate. C'était à prévoir, sa peau de blonde se couvre de plaques rouges à la moindre émotion. Alors maintenant, c'est elle qui est gênée. Je m'enhardis dans mes questions.

— Je voulais savoir... est-ce qu'il y a un sens ?

— Un sens pour quoi ? demande-t-elle, surprise.

— Ben... pour tourner la langue ? C'est comme les aiguilles d'une montre ou antihoraire ? Tu vois, Érica me disait que c'était dans le sens horaire, mais j'ai pas confiance dans ses infos, elle pourrait très bien avoir saboté mes connaissances en la matière pour que j'aie l'air conne. Tandis que toi, tu me diras la vérité...

Marie-Douce s'assoit sur le lit, place l'oreiller sur ses genoux pour s'y accoter. Je prends la même position avec un autre oreiller.

– C'est une très bonne question. En fait, je n'en ai aucune idée. J'avais un peu espéré que ce soit toi qui m'informes à ce sujet. T'as vraiment jamais embrassé personne ? Il me semble que ça ne se peut pas. T'as toujours l'air d'une fille qui a tout fait, qui connaît toutes les réponses…

– J'inventerais pas quelque chose d'aussi gênant. Je ne sais pas d'où tu tiens que je suis si déniaisée. J'ai jamais eu de chum !

– Mais les gars t'aiment ! insiste Marie-Douce.

– De quoi est-ce que tu parles ?

– Avant que nos parents tombent amoureux, j'avais cette image de toi. Je me disais que « Laura St-Amour était la fille la plus populaire de l'école, que les filles voulaient l'imiter, que les gars en rêvaient, que peu importe ce que la fameuse Laura faisait, c'était génial. »

À cette confidence, je reste figée. C'est comme ça qu'elle me voyait l'an dernier ? Eh ben zut, j'ai tôt fait de détruire ses belles impressions ! Elle s'était donc monté un personnage de toutes pièces, parce que je n'ai JAMAIS été cette héroïne qu'elle vient de décrire ! Je suis angoissée, jalouse, souvent méchante, gênée avec les garçons qui me plaisent (nombre qui se limite à 1 dans ma courte carrière amoureuse), influençable et possessive. La liste de mes failles est longue. Et je n'ai rien de cette fille populaire qu'elle décrit. Je dirais même que je suis impopulaire ! Je serais le genre contre qui on vote dans une émission de télé-réalité. La « pas fine » du *show* !

— Ça explique pourquoi t'étais si contente que j'arrive dans ta chambre. Je ne comprenais pas du tout. J'étais tellement exécrable avec toi. Et tu m'endurais…

— Oui, je t'endurais, je voulais être ton amie. Tu vois, j'ai gagné, ajoute-t-elle avec un sourire en coin et un coup d'épaule.

— Heureuse d'avoir perdu.

Un silence bienfaisant plane entre nous. Puis, avec un sourire en coin, je relance ma question à cent piastres :

— Alors, cette langue, elle tourne à gauche ou à droite ?

Marie-Douce éclate de rire à en pleurer. Je l'accompagne, m'esclaffant avec elle.

Chapitre 31

Sœurs superposées

Ce vendredi, nous retournons dans le Vieux-Vaudreuil. La maison est prête. Il ne reste que des détails esthétiques à arranger dans la cuisine rénovée. Dans la voiture, alors que nous roulons sur le boulevard Saint-Charles, mon père n'arrête pas de parler. Il nous raconte ses déboires avec les entrepreneurs, la décoratrice qui voulait lui faire mettre du vert lime sur un mur de la cuisine.

– Hé, c'est *cool*, le vert lime, Hugo, intervient Laura.

– Pour du vernis à ongles, ou des lacets de Converse, ça va. Mais, dans ma cuisine, c'est un gros NON, affirme mon père.

– Je suis contente de vous ramener à la maison, déclare Nathalie.

– Je suis heureuse aussi, dis-je avec un grand sourire.

Je ne mens pas. Fuir la maison des Cœur-de-Lion est un grand soulagement. Passer mon temps à éviter Lucien et Corentin pour ne pas réveiller le motton qui encombre ma gorge dès qu'il est question de notre triangle amoureux est éprouvant.

Nos parents se lancent un regard complice.

– Je me demande si les filles seront contentes de ce qu'on a fait avec leurs chambres, pendant leur absence, dit mon père à Nathalie.

— Je ne sais pas, hein ?… C'était peut-être pas une si bonne idée ! renchérit Nathalie avec un sourire.

— De quoi parlez-vous ? demande Laura en tirant sur sa ceinture de sécurité pour s'approcher d'eux.

— De rien… répond mon père, énigmatique.

— Hé, je veux savoir ! C'est de ma chambre dont vous parlez ! C'est hyper important !

Nous ne perdons pas de temps à explorer la nouvelle cuisine en entrant dans la maison. Direction l'étage pour voir à quoi nos parents faisaient allusion ! Laura est si excitée qu'elle trébuche sur la quatrième marche de l'escalier. Je fonce sur elle et nous tombons ensemble.

— OUCH ! Espèce de folle ! ricane-t-elle.

— Ouille, ouille, mon bras !

— Oh, mon Dieu, Marie-Douce, je m'excuse. Es-tu correcte ? demande Laura, les yeux ronds, inquiète.

Malgré une vraie douleur à mon poignet, je lui souris pour la rassurer, puis, je grimace lorsqu'elle détourne son regard de moi.

— Ouais, je suis OK. Allez, monte ! J'ai hâte de voir nos chambres !

Laura tire sur mon chandail (je lève mon bras droit pour éviter qu'elle ne capture mon poignet endolori dans ses griffes !) pour me traîner avec elle vers sa chambre. Ce que nous trouvons est étonnant ! Son lit n'y est plus. À la place, il y a deux espèces de gros poufs informes. Un vert lime et un magenta. De toute évidence, c'est un cinéma maison ! Il y a une télé grand écran accrochée au mur, de petites tables basses pour nos bols de *popcorn*. Nooon, je dois rêver ! Est-ce une machine à barbe à papa que je vois dans le coin de la pièce sur une table ? Waouuuu !

— C'est trop génial ! Marie-Douce, t'as vu ça ? C'est trop *cool* ! Je capote !

Puis, après s'être extasiée plusieurs secondes, Laura regarde sa mère qui se tient, silencieuse, dans le cadre de la porte.

— J'ai juste une question… où est rendu mon lit ?

— Ça, c'est l'autre surprise !

Nous échangeons un regard rapide qui n'a pas besoin de longues explications. Nathalie ferait mieux de se tasser du chemin parce nous sortons en même temps de la pièce pour nous ruer vers ma chambre !

La pièce que nous découvrons n'a plus rien à voir avec celle que j'occupais depuis le primaire. Les murs sont repeints dans des tons de blanc, noir, vert lime et mauve. Nathalie a fait un montage en mosaïque avec les *posters* de Laura qu'elle a rassemblés dans un immense cadre noir. Il fait toute la hauteur du mur. C'est de toute beauté ! Sur l'autre mur, il y a un autre montage, celui-là d'un tout autre genre. Mes médailles sportives sont accrochées et mes trophées sont placés dans une vitrine comme on en voit dans les écoles. Sur le coup, les larmes me montent aux yeux. Je n'ai jamais voulu placer mes récompenses de façon à les montrer. Ça me gêne beaucoup !

— Hé, fait mon père à mon oreille. Tu peux être fière de tes accomplissements. Moi, je le suis et je t'aime. Je ne veux plus que tu te caches, ma toute douce. Je crois que la vie nous a elle-même donné une sacrée leçon à ce sujet depuis la photo virale. T'es un bijou de fille, les gens t'adorent et je me suis dit que ce n'était peut-être pas pour rien. Je pense que c'est le temps de t'encourager à briller…

Je me retourne vers mon père pour le serrer dans mes bras. Je suis touchée et émue. Il a raison. Il est peut-être temps que j'accepte ce que la vie me force à prendre. Ma timidité maladive doit être vaincue tôt ou tard. Pourquoi pas maintenant ?

— Merci, papa, je t'aime aussi.

Derrière nous, la voix de Laura interrompt notre échange.

— WOWOWOWOW! Marie-Douce! T'as vu tout ce que t'as gagné, c'est fou! C'est des médailles de quoi, ça?

— Un mélange de karaté, soccer, j'ai aussi fait de la gymnastique et deux ans de patinage artistique et ainsi de suite…

— Pourquoi tu les cachais?

— Longue histoire! Hé, regarde nos lits!

Laura ne tarde pas à réagir. Elle s'extasie en grimpant l'échelle de nos lits superposés.

— Je te laisse le lit double du bas! Ça te dérange si je prends le petit lit du haut? J'ai toujours rêvé d'être en haut!

— Ça va, prends celui que tu veux. C'est trop *cool*! On aura même de la place pour inviter des copines à coucher!

— Énervez-vous pas trop vite avec les *pyjamas partys*, les filles! s'exclame Hugo. Les règles de la maison ne changeront pas sous prétexte que le décor n'est plus le même. Alors? Ça vous plaît?

— OUIIIIIIIIIII, faisons-nous en chœur. Merci, merci, merci, merci!

Chapitre 32

Sortir du garde-robe
#Twilight

Déjà dimanche. Voilà deux nuits que nous passons dans notre super chambre. Un peu plus et je pourrais croire que ma vie est parfaite. Nous éloigner de la maison des Cœur-de-Lion nous a fait le plus grand bien. Ici, chez Hugo et ma mère, tout est plus normal. La vraie vie reprend son cours, loin du flafla de la résidence de millionnaire.

Je dois avouer que m'être éloignée de Lucien Varnel-Smith ne m'a pas fait trop de peine non plus… ouf! Quel fauteur de troubles, ce gars-là! Non seulement m'a-t-il été très antipathique au premier contact, mais, pour ajouter à ma frustration, il s'est révélé respectueux des sentiments de son ami jusqu'à renier son propre attachement pour Marie-Douce! Je DOIS avouer qu'il m'a surprise sur ce coup-là. Je ne savais pas que l'honneur existait encore! J'avais vu des histoires d'honneur dans les films de cape et d'épée, genre *Les Trois Mousquetaires*, jamais dans la vraie vie! Encore moins chez un ado de quinze ans!

Je dois même avouer que ses actions sont très romantiques. Des gars comme Lucien, il n'en existe pas beaucoup. Demain, il entrera à notre école. Sa première journée risque d'être intéressante… Dommage qu'il ne soit pas de notre côté, mais plutôt avec les secondaire 4 et 5. Est-ce que je viens de penser une chose pareille, moi, là ? Ne devrais-je pas être folle de joie de ne pas l'avoir avec nous dans la salle F ? Zut. Lucien a réussi à m'intriguer assez pour me faire regretter sa présence !

J'ai hâte de voir s'il va charmer d'autres filles. Ce sera quelque chose à surveiller. S'il se fait une blonde dès la première semaine, je saurai que son intérêt pour Marie-Douce n'était qu'un feu de paille ! S'il l'aime pour de vrai, il ne *cruisera* pas les autres filles, point final.

— Hé, Laura, t'es dans la lune... est-ce que tu penses à « S » ?

On s'est entendues pour appeler Samuel ainsi pour ne pas révéler son nom à des oreilles curieuses qui pourraient entendre notre conversation. Marie-Douce et moi sommes assises dans nos poufs devant l'écran inanimé de notre cinéma maison. Elle vient de nous fabriquer deux grosses barbes à papa au raisin à l'aide d'un peu de sucre et de Kool Aid. J'ai la bouche pleine de sucre et les doigts collants.

— Non, je pensais plutôt à ton Lucien.

— Fais-lui pas de coup pendable, s'il te plaît ! Je sais à quel point tu le détestes...

— Non, t'en fais pas. Je me disais qu'il avait été courageux... J'admire ça, chez un gars.

— Courageux ? De quelle façon ?

— Ben, cette histoire d'honneur pour sauvegarder son amitié avec Coco, c'est assez *hot*, non ?

Marie-Douce se rembrunit.

— Tu trouves ? Ouais… dans un certain sens, t'as peut-être raison. C'est peut-être aussi une façon polie de me *flusher*…

— Ah, non, c'est pas le genre ! Lucien est très capable d'être pas fin quand ça lui adonne. Non, je pense qu'il était sérieux.

— De toute façon, je suis trop jeune pour être en amour. J'ai décidé ça, hier soir, après mûre réflexion. J'ai juste treize ans, dit Marie-Douce avec un soupir.

— L'âge exact de Juliette lorsqu'elle est tombée amoureuse de son Roméo !

— C'est vrai ? demande-t-elle, les yeux soudain illuminés. Je connais leur histoire, mais j'avais oublié ce détail…

— Je pense que oui ! Attends, je vais regarder sur Wikipédia pour être sûre !

— Mais, Laura, Juliette est juste un personnage fictif. Ça ne compte pas. Et dans leur histoire, les deux ados meurent à la fin. Pas sûre de vouloir me comparer à ça !

Ne l'écoutant que d'une oreille distraite, je cherche sur mon iPod.

– Aha ! Voilà ! Ben oui, elle allait avoir quatorze ans ! Tu vois ?

– Laura… ça n'a pas rapport… Roméo et Juliette venaient de familles rivales et se sont mariés malgré tout. C'est pas la même chose du tout ! Et c'était dans l'ancien temps, en plus.

Je regarde Marie-Douce d'un air émerveillé.

– Wow, tu connais bien l'histoire !

– Ben oui, les filles gênées comme moi lisent des affaires romantiques pas rapport dans leurs trop longs temps libres. J'ai vu trois versions de cette histoire en films, aussi. Tu vois, j'aime pas juste *Twilight !* D'ailleurs, j'aimerais vraiment te faire découvrir Edward et Bella…

À cette demande, je me racle la gorge, un peu embarrassée de ce que je dois lui avouer.

– Ah oui, à propos de *Twilight !* Ben… euh…

Marie-Douce, qui allait s'écraser sur son pouf reste debout et met les mains sur ses hanches fines.

– Quoi, encore ? Tu fais la même face que l'autre jour, quand tu m'as avoué aimer « S » !

– Okééééééé, je ne tournerai pas autour du pot ! J'AVOUE avoir vu *Twilight* au moins cent fois !

– QUOI ? Ah, ma tannante ! Tu l'as regardé pendant que j'étais à Paris ?

J'éclate de rire.

— Bien avant ça ! Quand j'habitais avec ma mère, avant d'emménager ici !

— Attends… alors, tu m'as menti ! Tu m'as fait sentir conne d'aimer *Twilight* et t'étais encore pire que moi ? T'es pas possible, Laura !

— Je sais, je suis une peste. C'est terrible. Me pardonnes-tuuuu ?

Je fais battre mes cils pour ajouter à mon charme. Marie-Douce est incapable de ne pas rire.

— Ouiiiiiii, mais je vais raconter ça à tout le monde ! déclare-t-elle en sortant de la pièce en courant. Papaaaaa ! Tu ne devineras pas ce que Laura vient de me diiiire !

Chapitre 33

L'aventurier charmant

Laura prend mes histoires de cœur très au sérieux. Hier soir, elle m'a fait tellement rire. Elle a pris un vieux cahier Canada que j'avais à peine utilisé en sixième année, elle en a ôté les pages gribouillées et l'a baptisé : LE CAHIER SACRÉ DES FILLES MODÈLES. À l'intérieur, elle a inscrit la date et tracé une ligne en plein centre. D'un côté, elle a inscrit « Corentin » et de l'autre « Lucien ».

– Pourquoi les filles « modèles » ?

– Parce qu'on est *hot* ! a répondu Laura sans autre explication. Voilà, j'ai presque fini…

– Et qu'est-ce que tu fais, là ? ai-je demandé, curieuse d'en savoir plus sur ses manigances.

– Une liste comparative.

– Quoi ? Tu veux comparer les deux gars ? Mais pourquoi ?

– Je veux te prouver que Corentin est un meilleur candidat en tant qu'amoureux que Lucifer… euh, je veux dire Lucien, bien sûr…

– Tu perds ton temps, Laura. Même si je le voulais, je ne peux pas choisir entre les deux.

– Faux. T'as déjà choisi. Tu veux Lucien, c'est clair.

– Pour ce que ça change ! Il a décidé d'honorer sa promesse à Corentin !

Malgré mes protestations, elle s'est mise à écrire des qualificatifs dans chaque colonne, cachant la page pour ne pas que je voie.

— Qu'est-ce que t'as écrit ? ai-je fini par demander, trop indiscrète pour faire comme si ça ne m'intéressait pas.

— Sous Corentin, j'ai mis : meilleur ami, loyal, gentil, intelligent, complice avec toi, honnête et franc, digne de confiance…

— Tu sembles avoir oublié la fois où Corentin t'a trahie avec le T-shirt de Duran Duran…

— Il était de ton bord, il t'aimait déjà. Y a personne de parfait ! Cherche pas les bibittes. Je continue : protecteur, plus beau que Lucien, riche…

J'ai roulé les yeux, impatiente de voir la liste concernant Lucien !

— Et pour Lucien, voyons voir… a-t-elle dit pour me faire languir.

— Baveux, impoli, snob, imprévisible, trop vieux pour toi, moins beau que Corentin…

— Hé, il a même pas deux ans complets de plus que moi, t'exagères !

— Drôle que tu ne réfutes pas les autres défauts ! a-t-elle ricané.

— Il n'était pas comme ça avec moi. Tu te bases sur ta première rencontre… Si t'as pardonné les erreurs de Corentin, alors il faut être juste! Ajoute : charmant, confiance en lui, regard mystérieux, fort, grand et aventurier!

– Et sens de l'honneur, a ajouté Laura en soupirant.

Elle a mâchouillé le bouchon de son stylo de longues secondes devant sa « liste comparative ».

– Ouin… je pense que Lucien gagne. Mais avec ce genre de qualités, il te fera de la peine.

– Trop tard, c'est déjà fait! me suis-je exclamée. Maintenant, brûle ce cahier! S'il fallait que Corentin tombe là-dessus…

Mais Laura résiste, serrant le cahier contre sa poitrine, l'air de dire « pas touche! »

– Je reviens donc à mon premier choix : Corentin serait mieux pour toi.

– Mais c'est Lucien qui a gagné mon cœur…

– Au moins, t'as eu quelques instants de bonheur… tandis que moi, avec « S », c'est un gros zéro!

– Ça viendra… l'ai-je encouragée.

Laura a fermé la lumière et nous nous sommes emmitouflées dans nos couvertures.

– Bonne nuit, Marie-Douce. Je suis contente que tu sois ma sœur.

– Bonne nuit, Laura. Moi aussi, je suis contente.

Ma relation avec Laura est la meilleure chose dans ma vie. Une chance qu'elle est là. Le reste de mon univers, par contre, semble une grosse montagne que je dois escalader. La folie causée par la photo de Harry et moi ne s'estompe pas assez vite à mon goût. Moi qui espérais que ce serait réglé en quelques jours, je me suis rudement trompée.

À la suite de ma conversation avec papa (celle où il me disait qu'il était temps que je brille), j'ai accepté une entrevue à la populaire émission *Deux curieuses le matin*. Elles sont fascinées par cette histoire de Cendrillon et veulent savoir toute la vérité ! Eh bien, je vais leur donner l'heure juste sur un plateau d'argent. Papa et Nathalie sont d'accord pour dire qu'une fois cela fait, j'aurai donné aux médias ce qu'ils veulent. Et j'aurai enfin pu rectifier la vérité, c'est-à-dire qu'il n'y a RIEN entre Harry et moi.

Si tout se passe comme on le souhaite, la révélation de la vérité fera s'évaporer l'engouement général. L'entrevue est dans quarante-huit heures. Encore deux nuits à mal dormir, à me demander si c'est une bonne idée, si je dirai des niaiseries que je regretterai, si je serai laide, si j'aurai un bouton sur le front, aaargh.

En ce lundi matin ensoleillé, après avoir vécu dans l'intimité de notre cocon familial, je dois revenir à la réalité. Une réalité où le garçon de mes rêves, celui que je croyais jusqu'à il n'y a pas si longtemps être à l'autre bout de l'océan Atlantique, fait son entrée dans mon école.

Laura et moi marchons du Vieux-Vaudreuil en direction de la Cité-des-Jeunes. Une fois sur le boulevard Saint-Charles, la limousine conduite par Bruno nous dépasse. Certaines que celle-ci s'arrêtera à l'église pour en laisser sortir Corentin et Lucien, nous ralentissons nos pas pour rester derrière. Je ne tiens pas à marcher le reste du chemin en leur compagnie.

Mais la voiture noire passe tout droit devant notre arrêt habituel. Laura et moi échangeons un regard surpris. Il est vrai que Lucien n'est pas aussi… disons, discret que Corentin. L'aurait-il convaincu de se rendre jusqu'à l'école dans la voiture de luxe ? C'est bien possible !

– On court ? demande Laura.

– Non, j'y tiens pas. Laisse-les aller.

– Faudra bien que tu lui reparles un jour !

– Je suis surprise que tu me dises ça, j'aurais cru que tu me découragerais de m'en approcher !

– J'ai pas dit de lui tomber dans les bras ! Même si sa liste était plus *cool* que celle de Coco, je suis quand même « *team* Corentin », ne l'oublie pas !

– Laura, y a pas de « *team* Corentin », ni de « *team* Lucien » ! Arrête d'en parler comme si c'était un jeu !

– Je saurai bien te convaincre un jour que Coco est l'homme de ta vie !

– J'ai TREIZE ANS ! Et Coco n'est pas un homme mais un ADO !

– Presque quatorze, comme Juliette ! Et Coco est très mature !

Laura perd de la vitesse. Je lui tire une mèche brune en passant près d'elle en trombe.

– Plus que toi, en tout cas !

– Ah ! Je vais t'étripeeeeer !

En traversant la salle G pour me rendre à la salle F, j'aperçois un raz de marée de filles autour d'une table. De vraies fourmis sur un morceau de sucre ! Je passe tout droit, convaincue qu'un prof doit donner des cadeaux intéressants, genre des billets pour aller voir un spectacle *cool* quelconque. Jusqu'à ce que j'entende de la bouche d'une fille blonde que je ne connais pas :

– C'est le gars qui est ami avec Harry Stone ! Il s'appelle Lucien quelque chose… Il était dans le journal !

C'est plus fort que moi, je me retourne vers l'attroupement. Il y a une dizaine de filles qui sautillent et je finis par apercevoir Lucien : c'est lui qui les énerve autant. Les deux bras croisés, il a l'air de se demander dans quel guêpier il est tombé. De loin, il me fait un sourire crispé en soutenant mon regard. Je lui rends son sourire, mais je quitte les lieux avant que ses nouvelles *fans* me remarquent. Bon, d'accord, laisser tomber mes cheveux devant mon visage n'est pas le meilleur des déguisements pour passer incognito, mais ça fait le travail, je peux marcher d'un pas rapide vers ma case sans me faire achaler.

Mes livres en main pour mon cours de maths, j'approche de Laura qui fouille encore dans son casier. Ce n'est que le début de l'année, et c'est déjà le bordel dans sa case. Elle cherche dans son désordre pour finir par mettre la main sur son étui à crayons et son livre de français.

– Je ne comprends pas comment Lucien s'est retrouvé à être reçu comme une *star* ! dis-je.

Laura ferme la porte métallique sans grand soin et le *pa-klow !* qui en résulte me fait sursauter.

— Ah! Je t'ai pas raconté ça? dit-elle. Ils ont vu l'article de la deuxième photo et le nom de Lucien était clairement indiqué. Les filles du volleyball en jasaient ouvertement devant plein d'autre monde. Elles se sont mises à chercher des photos de Lucien sur Google et paf! Elles l'ont trouvé ben beau et ont commencé à capoter! Et là, évidemment, le mot a dû se répandre comme un virus.

C'est donc pour ça que tout le monde assaille Lucien comme s'il était une vedette!

On l'attendait donc de pied ferme. Savent-ils qu'il chante aussi et qu'il a un agent qui lui promet une carrière sous peu?

Vaut mieux pas… ce serait la folie totale.

Chapitre 34

Une chicane de trop...

Ce matin, Marie-Douce est absente. Même si l'émission *Deux curieuses le matin* ne sera présentée que demain, l'enregistrement se fait la veille, donc aujourd'hui. Monsieur Tranchemontagne n'aime pas que les élèves s'absentent pour des activités autres que vomir dans un bol de plastique ou faire 44°C de fièvre ; je suis certaine qu'il n'a pas aimé la raison du petit congé de Marie-Douce !

Sans ma sœur, la routine avec Constance et Samantha reprend son cours. Les filles ne se sont pas informées outre mesure de la raison de son absence. Je commence à me demander pourquoi elles lui portent aussi peu d'attention ! Pour Samantha, je ne suis pas surprise puisqu'elle n'a jamais été sa *best*. Mais Constance me déçoit. N'ont-elles pas laissé leurs cheveux pousser sans les couper depuis le primaire ensemble ? Ça prend une amitié solide pour se suivre comme ça pendant autant d'années ! On dirait que Constance rejette tout ça du revers de la main. Il y a des fois où, même si elle n'en parle pas, j'ai l'impression que Marie-Douce est peinée par l'attitude de Constance.

— Constance, j'ai une question à te poser. C'est important.

Nous sommes à nouveau dans la cafétéria turbulente. Seule Samantha ne sait pas encore pourquoi nous avons changé nos habitudes. Elle ne semble pas s'en préoccuper, elle regarde autour, cherche des commentaires à dire concernant les autres gangs. Elle nous fera probablement honte encore une fois dans quelques instants, d'ailleurs. La bonne nouvelle, c'est qu'elle n'a pas encore fait le lien entre notre présence et la proximité de Samuel. Vrai, il y a toujours Alexandrine Dumais et ses acolytes sur notre territoire (ou plutôt, c'est nous qui envahissons le leur!), mais c'est le prix à payer pour manger près de Samuel. Erica est là, aujourd'hui. Elle se colle sur son chum comme s'il allait s'envoler. Grrr! *Allez, Samuel, réveille-toi... casse donc avec elle! Qu'est-ce que tu attends?*

— Quoi? demande Constance en développant son sandwich au fromage et à la luzerne (euh... les petites pousses vertes et blanches, c'est ark!).

— C'est concernant Marie-Douce. On dirait que tu l'aimes pas.

Elle dépose son sandwich, l'air fâché.

— C'est quoi ta question, Laura?

— Ben, c'est ça, ma question!

— Tu veux savoir si j'aime Marie-Douce?

— Oui!

— En quoi est-ce que ça te regarde?

Je la fixe en clignant les paupières, surprise de sa réponse (ou plutôt, de sa NON-réponse!).

— Euh… en rien. Oh mon Dieu, Constance, est-ce que t'es jalouse de Marie-Douce? C'est pour ça que tu fais comme si elle n'existait plus?

Le rouge qui apparaît sur ses joues et qui monte à ses oreilles m'indique que je ne suis pas loin de la vérité! Je m'en doutais…

— Je ne suis pas jalouse! Non, mais pourquoi tu me fais ça, Laura? C'est pas *cool*!

— C'est toi qui n'es pas *cool*, Constance Desjardins! Je pensais que Marie-Douce était ton amie!

— Ooooh! Ça sent la guerre par ici, les filles, fait la voix d'Alexandrine Dumais en riant.

— La ferme, Alex! C'est pas de tes affaires! s'écrie Constance.

À l'autre table, Samuel se lève d'un coup dès qu'il entend sa tante s'énerver. Érica roule les yeux en tirant sur le chandail de son chum. Ah non! Je suis encore dans une mauvaise posture face à Samuel! Je n'apprendrai donc jamais?

— Ha, ha, ha! T'es jalouse de Marie-Douce! continue Alexandrine entre deux bouchées de son sous-marin. C'est normal! Elle est devenue belle et

populaire et toi, t'es restée fade et conne! Laura…
t'as bien mal choisi ta gang!

– T'occupes pas d'elle, dis-je à Constance. Mais
bon sens, Constance, Marie-Douce t'aime beaucoup,
je ne comprends pas ton attitude!

– Hé, lâche-la, fait Samuel en me prenant par le
bras. Si elle ne veut pas répondre, c'est son droit!

Il me TOUCHE, il me TOUCHEEEEUH! Mais
pas pour les bonnes raisons… snif… snif… Du
coup, je perds mes moyens. La proximité de Samuel
me déconcentre et sa colère envers moi me brise le
cœur! Les méchancetés d'Alex m'horripilent et l'air
blessé de Constance me désole. Aussi bien dire que
ça va mal. J'en perds le peu d'appétit que j'avais.
Je remballe mon lunch en vitesse pour quitter la
cafétéria. Je n'ai plus rien à faire ici.

Mes pas me guident d'instinct vers la sortie de la
salle. En chemin, je me heurte à plusieurs personnes,
dont Corentin et Lucien. Arrffff, les derniers que je
voulais rencontrer dans l'état où je me trouve. Tiens
tiens, où est la horde d'admiratrices?

– Laura! Est-ce que tout va bien?

Je relève les yeux, surprise que la question,
pleine d'empathie, vienne de Lucien en personne!

Je secoue la tête, prête à pleurer. Sous les regards
de plusieurs curieux, les deux garçons m'escortent

jusqu'au grand escalier qui mène au centre culturel, en direction de la salle F. À la dernière seconde avant de sortir, je jette un coup d'œil derrière. Samuel m'a suivie. Il est à quelques mètres de nous, le regard posé sur moi.

Chapitre 35

Deux curieuses

Voilà une bonne chose de faite ! L'enregistrement s'est bien passé. La session de maquillage pour la télé m'a rappelé des souvenirs intenses. Jo, le maquilleur, était une espèce de Georges, le styliste parisien de Miranda qui m'avait tant traumatisée. Il m'en a mis épais sur la peau !

— T'en fais pas, c'est pour la télé, ça ne paraîtra pas si pire à l'écran ! On s'habitue ! m'a assuré l'une des animatrices, une gentille dame dans la trentaine, elle-même surmaquillée.

Le plateau de tournage était impressionnant, avec toutes ses lumières fortes et ses caméras. Il y avait plus de monde derrière la caméra que devant ! Moi qui suis timide d'emblée, j'ai dû me contrôler pour ne pas m'enfuir en courant. Mon père était avec moi, il a même accepté de passer sous le pinceau de poudre beige de Jo pour participer à l'entrevue. Somme toute, ce fut plaisant et rigolo. Ces « curieuses » étaient gentilles. Elles n'étaient pas là pour m'attaquer, juste pour satisfaire la curiosité (mon père n'arrête pas de dire que c'est du voyeurisme populaire) des gens. Donc, à la question « es-tu, oui ou non, la Cendrillon de Harry Stone ? », j'ai pu enfin mettre les points sur les i !

— Harry est un garçon très sympathique et il est beeen *cute*...

— Ah ouais ! Je suis très d'accord avec ça, a dit mon père pour être drôle.

Les deux animatrices étaient d'ailleurs aux petits oignons pour papa. Elles le trouvaient bien bel homme, semble-t-il !

— Mon père ne connaît rien là-dedans, écoutez-le pas, ai-je ricané, maintenant plus détendue (merci papa !).

— Donc, Harry Stone… a insisté l'animatrice blonde vêtue d'une blouse rouge et portant d'énormes lunettes noires trop grandes pour sa face.

— N'est rien de plus qu'une vague connaissance !

— Mais tu es sa Cendrillon, il l'a dit sur sa page Facebook !

Et là, en gros plan sur un écran placé derrière nous, on a vu le fameux *post* de Harry avec ma photo et son commentaire « Cinderella, where are you[1] ? »

— C'était une blague. Il l'a d'ailleurs dit quelques jours plus tard.

Mini-menterie. Mais, suis-je censée dire que c'est son agent qui a écrit ça ? Je préfère ne pas m'aventurer dans ces eaux-là !

— Alors, tu nous le confirmes : tu n'es pas la blonde de Harry Stone ? Mesdames et messieurs,

---

1. Cendrillon, où es-tu ?

vous avez bien compris ? C'était une histoire exagérée ! dit la brune en regardant tout droit dans la lentille de la caméra.

— Mais ç'a dû être très excitant de le rencontrer, comme ça, dans un party privé, non ? a insisté la blonde.

— Honnêtement, je m'en faisais davantage avec mes souliers qui me faisaient des ampoules et ma nouvelle coupe de cheveux qui me rendait méconnaissable qu'avec le fait de rencontrer Harry Stone.

— Est-ce qu'il parle français ? a demandé l'autre animatrice, la brune.

— Non, pas du tout ! Les phrases clichées du genre « Voulez-vous coucher avec moi ? », mais c'est pas mal tout !

— Il t'a demandé ça ? a repris la blonde.

Là, j'ai senti mon père se crisper. Quelle gaffe ! Je n'aurais jamais dû parler de ça !

— C'est une des seules phrases qu'il savait dire en français !

Quelques autres questions et il ne restait aux deux animatrices que quelques secondes à tuer avant de couper l'enregistrement.

— Nous avons une dernière question pour toi, ma chère Marie-Douce. Est-ce que tu as un amoureux ?

Une chance que j'étais assise parce que mes genoux auraient flanché à cette question. Mon père m'a lancé un regard de panique! Elles sont indiscrètes, ces « curieuses »!

— Non, je n'ai pas d'amoureux! Je n'ai que treize ans, après tout! J'ai bien le temps!

La main que mon père a posée sur la mienne m'a indiqué à quel point il était rassuré. Pauvre papa, il sera bien nerveux quand il saura que j'ai déjà des histoires assez intenses!

— En effet, tu as bien le temps, a renchéri la blonde.

La brune s'est retournée pour regarder la caméra.

— Alors, c'était Marie-Douce, notre Cendrillon nationale qui nous a révélé toute la vérité concernant le fameux Harry Stone et la photo virale qui a fait le tour du monde sur Internet. Merci Marie-Douce de ta générosité!

— Merci de m'avoir invitée…

Et juste comme ça, les deux animatrices ont changé d'expression. L'une s'est levée d'un bond pour courir aux toilettes en hurlant qu'elle avait bu trop de café et l'autre s'est mise à vérifier ses messages sur son iPhone. Pour elles, nous n'existions plus.

Chapitre 36

Constance-la-jalouse

Oh, mon Dieu que Marie-Douce était BELLE à la télévision! On aurait dit Cendrillon pour de vrai! En plus, ce que les gens ne savent pas, c'est qu'elle est aussi sage, douce et gentille qu'elle en a l'air. C'est fou à quel point cette fille est trop parfaite. Les garçons peuvent bien se l'arracher et les filles en être jalouses!

Déjà jeudi. Voilà deux jours que Constance et moi sommes en froid. Je n'ai pas reçu de message d'elle sur mon iPod et elle n'a pas cherché à me parler à l'école. Elle m'évite depuis notre conversation au sujet de Marie-Douce.

Je vois bien, j'ai frappé dans le mille. C'est depuis le début de notre amitié que Constance lève le nez sur ma sœur. Pourquoi n'ai-je pas allumé plus vite? Bien sûr qu'elle voulait m'avoir pour amie! Elle enlevait quelque chose à Marie-Douce! Quand je vois des choses comme ça se produire entre filles, je comprends pourquoi j'avais tant apprécié mon amitié avec Coco. Les gars, c'est bien plus simple que les filles!

Ce matin, je ne sais pas trop comment c'est arrivé, mais Marie-Douce et moi nous sommes retrouvées assises dans la salle F avec Alexandrine Dumais, Clémentine-la-muette, Dariane St-Cyr et Mathilde Beauchemin. Un rapprochement très bizarre que je n'ai pas trop compris, mais qui, de façon étonnante, m'a fait beaucoup de bien! Juste de se retrouver, comme ça, sans se casser la tête, c'est loin d'être désagréable.

— Tu m'as manqué, Laura, me confie Alexandrine à la pause de l'après-midi.

— T'es une drôle de fille, Alex. J'ai bien du mal à te suivre!

Nous sommes seules à son *spot* habituel de la salle F. Les autres filles avaient de l'éducation physique et ont dû traîner dans les vestiaires. Clémentine est avec nous, mais comme elle ne parle jamais, c'est comme si elle n'était pas là. Ce n'est pas elle qui ira colporter notre discussion!

— Tu trouves? Pourtant, j'ai toujours été claire. On ne peut pas en dire autant de la plupart des filles de notre âge! Regarde Constance, ça fait des mois qu'elle joue la comédie avec toi. Tu crois que j'ai pas vu clair dans son petit jeu? J'avais hâte que tu t'ouvres les yeux, ma vieille! Cette fille-là est jalouse des autres. Pas juste de Marie-Douce…

— Et toi, t'es possessive!

— Non. Moi, je suis directe et je sais ce que je veux. Je protège mon territoire contre les vipères pas sincères. Marie-Douce et toi, je vous veux dans ma gang. Je ne veux rien savoir de Constance-la-jalouse et de l'autre folle qui parle fort.

Je la dévisage, étonnée d'autant de franchise. Pourtant, je connais Alex, je ne devrais pas être aussi surprise ! Je crois que je commence à mieux comprendre sa façon de voir les choses…

— Personne ne pourra jamais t'accuser d'être hypocrite.

— T'as tout compris ! Est-ce qu'on peut arrêter notre petite guerre à la con et être amies, maintenant ? Ça devient fatigant…

— Tu veux dire faire partie de ta gang et ne pas aller jouer ailleurs ?

— Quelque chose dans le genre.

— C'est impossible, Alex, dis-je en me levant.

— Ben oui, c'est possible. Je suis la meilleure amie du monde, demande à Clémentine.

Je me retourne vers Clémentine, qui, avec ses cheveux teints en noir et ses yeux colorés au charbon, hausse les épaules en fuyant mon regard.

— Je ne peux rien lui demander, elle ne parle jamais !

Alex se lève pour me regarder en face.

— Justement, elle a de sérieux problèmes à la maison. Sa famille est… ouf, difficile à vivre. Mais je l'abandonnerai jamais! C'est ça, la vraie amitié, Laura. Tu vois, j'ai déjà fait mes preuves!

— Non, Alex. La vraie amitié, c'est quand tu soutiens tes amis sans les obliger à ne fréquenter que toi! Le jour où t'auras compris ça, on pourra être amies. D'ici là, je regrette, mais je ne peux pas te promettre de ne pas avoir d'autres amies!

Les lèvres pincées (par la déception? Me veut-elle tant que ça?), Alex croise les bras sur sa poitrine.

— OK. Je comprends.

Là, je sourcille!

— Tu… comprends?

— Je suis prête à faire une exception pour toi et Marie-Douce.

Oh, elle me prend de court, là. Dois-je me méfier? Il me semble que son offre est trop belle pour être vraie. D'un autre côté, c'est délicat… Si je vais vers Alexandrine aujourd'hui, alors qu'elle vient de détruire Constance, aussi bien dire au revoir à toutes mes chances avec Samuel. Il adore sa tante!

— Désolée, Alex. Je ne pourrai pas… À moins que tu fasses des excuses à Constance pour l'avoir humiliée.

— Je t'ai défendue ! proteste-t-elle. Pourquoi devrais-je lui faire des excuses ?

— Tu sais pourquoi, Alex.

Elle cligne les paupières, ne semblant pas comprendre. Puis, elle se fige sur place.

— Ah ouais… ! Tu veux dire : pour QUI !

Elle sait que je suis pâmée sur Samuel Desjardins… Ça peut se retourner contre moi !

— Alex… si tu veux prouver à quel point t'es une bonne amie, c'est le temps.

Mon cœur bat à tout rompre. Alexandrine est imprévisible. Elle peut aussi bien décider de rire de moi assez fort pour que tout le monde entende ou se ranger de mon côté et m'aider. Avec elle, c'est « toute ou pantoute » !

— OK. Je vais m'excuser à Miss Jalouse, mais souviens-toi bien de mon sacrifice parce que ça ne me tente pas du tout.

— Oui. Merci, Alex.

Chapitre 37

La fille trop plate

Enfin vendredi! La semaine a été looongue et éprouvante. Je ne sais pas trop comment c'est arrivé, mais hier, en fin de journée, je me suis retrouvée dans la gang d'Alexandrine Dumais AVEC Laura. C'est le monde à l'envers. Ces deux-là semblent avoir fait la paix. Wow! Avec tout ce qui se passe dans ma vie de fou, j'en ai manqué des bouts. Tant mieux, voilà au moins une complication de moins sur mes épaules.

Nous sommes à la pause de l'avant-midi, j'ai devant moi une scène jamais vue! Alexandrine et Constance s'entretiennent seule à seule. Elles sont en retrait, près des escaliers qui mènent aux classes de l'étage au-dessus de la salle F. Leur conversation ne dure pas longtemps. Lorsqu'elles se séparent, Alexandrine roule les yeux au plafond et Constance prend ses jambes à son cou. Elle pleure!

Je devine qu'Alex a dit quelque chose de blessant à Constance. Je dois intervenir pour la consoler. Je sais à quel point Alexandrine peut être directe. Ça ne serait pas la première fois qu'elle lui aurait dit quelque chose de désobligeant.

– Hé, Constance, est-ce que ça va?

Elle met plusieurs secondes à se retourner, le temps d'essuyer ses larmes avec la manche de sa veste.

— Non! Ça va pas, si tu veux tout savoir!

Je la regarde sans parler, j'attends qu'elle vide son sac. Il se peut qu'elle ne veuille pas se confier à moi, je n'en serais pas surprise. Ça fait longtemps que Constance et moi, on n'a pas été proches. Aussi bien dire que nous nous sommes éloignées avec les événements, et mon voyage de plusieurs mois en Europe n'a pas aidé à nous rapprocher. J'ai un peu l'impression d'avoir devant moi une fille que j'ai perdue de vue parce que nous n'avions plus rien en commun. La voir pleurer me fait prendre conscience que je ne me suis pas ennuyée d'elle, on dirait que ça ne m'atteint pas. C'est triste, mais c'est la vérité.

— De toute façon, tu t'en fiches, m'accuse-t-elle.

Zut, elle a raison!

Je dois donc mentir…

— Ben non, je ne m'en fiche pas, voyons… Est-ce que je peux faire quelque chose?

— Non, tu ne peux rien faire. Je dois y aller, excuse-moi.

Alors que Constance s'éloigne, le dos plus rond que d'habitude et son pas plus rapide, une main se pose sur mon épaule. J'étais si préoccupée par Constance que je sursaute.

— Ah!

— Relaxe, c'est juste moi.

Laura est derrière moi, un demi-sourire aux lèvres.

– Laisse-la faire. Viens-t'en, dit-elle.

– Est-ce que tu sais pourquoi elle pleure ?

Laura roule les yeux de la même façon qu'Alexandrine un peu plus tôt.

– J'ai ma petite idée… répond-elle.

– Tu partages ?

Laura soupire avant de me raconter en bref qu'elle et Constance se sont chicanées pendant mon absence. Alexandrine en a rajouté, humiliant Constance devant tout le monde. Le sujet ? Le fait que Constance serait jalouse de moi ! Tous ces remous alors que je n'étais même pas là pour intervenir et qu'en plus, je me fiche comme de l'an quarante de ce que Constance pense de moi ! Ça fait longtemps que j'ai perdu tout intérêt pour elle ! Quel gâchis pour rien !

– Et Alexandrine s'est excusée ou non ?

– Euh… fait Laura en évitant mon regard.

– Laisse-moi deviner. Elle s'est excusée en trouvant le moyen de la faire se sentir poche, c'est ça ?

– Genre… Il n'y a rien à faire. Ces deux-là, c'est comme le feu et l'eau.

— Est-ce que tu veux redevenir amie avec Alexandrine pour de vrai, Laura ? Tu m'avais dit de m'en tenir loin… je croyais que tu t'en méfiais ?

— Toi, est-ce que tu veux faire partie de sa gang ? me demande Laura.

— Si tu savais à quel point je m'en fiche, moi, de faire partie d'une gang. Je veux juste être avec toi. Si ça doit être avec Alex, alors ce sera avec Alex. Elle est gentille avec moi, j'ai aucune raison de l'éviter. Prends une décision et je vais l'accepter.

— Arrrfff ! C'est compliqué ! se plaint Laura.

— Pourquoi ?

— Ben… Samuel défend toujours Constance et si on se tient avec Alexandrine, alors Samuel…

— … te percevra comme l'ennemie de sa famille, c'est ça ?

— À peu près, oui.

— Alors évite Alexandrine !

Le visage de Laura se rembrunit. Je rêve ou elle devient piteuse ?

— Mais… j'ai le goût d'être amie avec elle. Elle est plus *cool* que Constance. Pour être honnête, Constance est un peu…

Je secoue la tête, retenant mon sourire avec peine.

– Oh, laisse-moi deviner! Elle est un peu PLATE?

– MERCI DE LE PENSER AUSSI! s'exclame Laura, en me sautant dans les bras. MERCI, MERCI!!! Je t'adore! Je me sens tellement moins poche!

Chapitre 38

Plus fort que la police

Alexandrine m'assure s'être bel et bien excusée auprès de Constance. Nous sortons de l'école ensemble. Je l'accompagne vers son autobus avant de retourner à pied chez Hugo et ma mère. Marie-Douce nous suit pas loin derrière, elle surveille la limousine de Bruno. Voilà déjà trois jours qu'elle n'a pas parlé à Lucien ni à Corentin.

On dirait qu'ils l'ont évitée toute la semaine de la même façon qu'elle les a évités ! C'était mieux comme ça. La dernière fois que j'ai vu les gars, c'était juste après ma chicane avec Constance. Lucien a été *cool*, comme s'il avait sauté sur l'occasion pour qu'on s'entende un peu mieux. Corentin semblait distant, voire mal à l'aise. Nous sommes dus pour une bonne discussion en profondeur, lui et moi ! Pour l'instant, je dois m'assurer qu'Alexandrine n'a pas fait trop de dommages chez les Desjardins !

— Je te jure que j'ai été gentille ! insiste-t-elle, alors que son autobus se range à sa place habituelle.

Autour de nous, les autres élèves, dont Clémentine qui prend le même bus qu'Alex, se rassemblent devant la porte jaune.

— Alors, pourquoi elle pleurait ?

Elle hausse les épaules.

— Bah, elle pleure à rien. C'est une nouille !

— Aleeeex…

– OK, sans niaiser, j'ai essayé, mais elle m'en veut quand même. J'ai eu beau m'excuser, lui dire que je ne pensais pas ce que j'ai dit, elle ne démordait pas. Je l'ai vraiment traumatisée, on dirait. Elle va peut-être encore m'en vouloir dans vingt ans.

– Ah ! Seigneur !

– Hé ! J'ai fait ce que tu m'as demandé, laisse-moi pas tomber ! m'exhorte-t-elle.

– C'est foutu avec *tu-sais-qui* à cause de tes niaiseries !

Alex me fait un sourire confiant.

– C'est jamais foutu avec un gars. L'amour, c'est plus fort que la police. Si Samuel t'aime, il se fichera bien de sa tante !

– Arrête, il m'aime pas. Il sort encore avec Érica Voldemort St-Onge.

– Pouah ! Ça ne durera pas ! Et puis, y a d'autres gars… t'as vu le nouveau ? Pas pire…

– Quel nouveau…

– L'ami du fameux Harry Stone ! Le gars qui vient d'arriver en secondaire 4 ! Il paraît qu'il voyage en limousine… J'imagine que tu le connais à cause de Marie-Douce ? Il paraît que c'est lui qui lui a présenté Harry !

– Il n'est pas si *cool* que tu penses…

— Alors, tu le connais pour de vrai ! Tu pourras me le présenter ? Il est vraiment *cute* !

— Pas tant que ça…

— OK, peut-être pas joli garçon comme Corentin ou Samuel, mais oufff ! très intéressant ! Plus vieux que nous, en plus… ça veut dire moins niaiseux !

Mon soulagement ne pourrait être plus grand : elle est la dernière à monter dans l'autobus et le chauffeur s'impatiente.

— Ben oui, c'est ça, c'est ça ! Bye ! À lundi !

— Lundi ? Non, non, non, on se texte ce soir ! Je veux te voir demain !

Sur ce, elle monte, me laissant seule avec Marie-Douce qui s'est approchée. Lorsque je me retourne vers elle, ma sœur a un sourire moqueur planté sur le visage. Elle a vu à quel point j'avais hâte qu'Alex s'en aille !

— Alors, contente d'avoir retrouvé ton amie *cool* ?

— Très drôle…

Marie-Douce me suit vers notre chemin habituel qui mène dans le Vieux-Vaudreuil.

— Elle est pas un peu intense, ton amie ? Elle veut te voir demain et je mettrais ma main au feu qu'elle te veut dimanche aussi, et toutes les autres fins de semaine après ça. Il ne te restera plus de temps pour moi… Est-ce que je devrais commencer à être jalouse ? Surtout qu'elle trouve Lucien pas mal « intéressant » !

— Tu trouves ça drôle, toi ? Je te rappelle qu'Alexandrine est capable d'avoir n'importe quel gars, même Lucien. Si elle décide qu'elle veut sortir avec lui, il ne résistera pas. Je vois ça d'ici. Tu vas pleurer toutes les larmes de ton corps !

Comme je termine ma phrase, la limousine passe devant nous, et Bruno nous fait de grands signes de la main. Zut, il nous a repérées. Est-ce que les gars sont déjà montés derrière ? Impossible de voir, avec ces vitres fumées !

— Lauraaaa, je ne veux pas monter dans la voiture… Je veux aller à la maison, chez mon père !

Dans un élan presque protecteur envers ma sœur, je me place devant elle comme si je cherchais à la protéger d'une menace quelconque. C'est ridicule : Bruno et les gars, s'ils sont derrière, l'ont très bien vue.

Zut, une vitre s'abaisse. C'est Corentin.

— Montez !

— Non, ça va aller ! On préfère marcher. Allez-y sans nous !

La voiture s'arrête, la portière s'ouvre. Les deux gars descendent. Oh mon Dieu, ils sont beaux ensemble. Il ne manque que Samuel pour faire un trio parfait !

— Faites pas les idiotes, dit Lucien, sans détacher son regard de Marie-Douce. On va vous déposer là où vous voulez.

Il l'aime, j'en mettrais ma main au feu. Je le vois dans ses yeux. Il a beau avoir été un monstre avec moi, je vois bien qu'il a des sentiments pour ma sœur. Maudit Corentin, il faut que je lui parle et le plus tôt sera le mieux ! Il doit lâcher prise sur Marie-Douce !

J'aimerais monter dans la limousine, mais je comprends ma sœur d'hésiter.

— Qu'est-ce que tu veux faire, Marie-Douce ? dis-je à son intention.

— Montons avec eux, sinon on va avoir l'air de deux belles nouilles.

— T'es pas obligée… je sais que c'est dur pour toi !

— Non, ça va. Il faudra bien qu'on se côtoie tôt ou tard, autant commencer tout de suite.

Chapitre 39

Ça fourmille chez les Cœur-de-Lion !

Cette drôle de sensation d'être à la fois heureuse et malheureuse, je la vis en m'installant dans la limousine. Je m'assois le plus loin possible de Lucien, c'est-à-dire en diagonale, à côté de Corentin. À une époque pas si lointaine, Corentin aurait entouré mes épaules de son bras pour me rassurer. Pas aujourd'hui. La tension dans l'habitacle est à tailler au couteau. Nous n'aurions pas dû accepter de monter. Pour ajouter à mon trouble, plusieurs personnes nous ont vues. Ils nous font même des « tata » auxquels Corentin et Lucien répondent avec le pouce en l'air. De vraies divas, ma parole ! Ils se prennent pour les Beatles ou quoi ?

Notre secret est révélé, il n'y a plus de cachettes possibles. Ce n'était qu'une question de temps…

— Merci pour l'autre jour, dit Laura à Lucien.

— C'est rien, répond-il.

Je les regarde l'un et l'autre, un point d'interrogation sur le visage.

— Je me suis simplement assuré que Laura allait bien, m'informe Lucien. Elle semblait… perturbée.

— C'était juste après ma chicane avec Constance.

— Ah ! OK…

La conversation tombe à plat. Plus personne n'ose parler. La bonne nouvelle, c'est qu'au moins il n'y a plus d'animosité entre Lucien et Laura. C'est déjà ça de gagné ! Plusieurs minutes s'écoulent, jusqu'à ce que je me rende compte qu'on a passé le Vieux-Vaudreuil !

— Hé, on devait retourner chez mon père ! dis-je en regardant dehors. Bruno ! Il faut faire demi-tour !

— C'est vrai, ça, renchérit Laura.

— Il y a un petit changement au programme, dit Corentin.

— Quel changement ?

— Vous allez voir…

Durant le trajet, Laura essaie de leur tirer les vers du nez autant qu'elle peut, mais les gars restent de marbre. Je ne jette qu'un seul regard dans la direction de Lucien. Occupé à faire languir Laura, il ne me voit pas l'observer en douce. Il porte un chandail à l'effigie des Citadins. S'est-il déjà inscrit à l'un des sports parascolaires ? Je n'en serais pas surprise ! Pour aimer le rugby, un des pires sports au monde, il faut qu'il soit athlétique.

— Tu vas faire du sport à l'école ?

— Hockey, dit-il.

— Ah…

Je me rends compte que je ne le connais pas. Il joue au hockey ? Je n'en avais pas la moindre idée. À part avoir vu l'appartement de Paris où il habite et le fait qu'il joue au rugby, je n'ai aucune idée de ses goûts, de ses loisirs, de sa façon de penser ou même de ses peurs. Lucien Varnel-Smith a-t-il peur de quelque chose ? Ça me semble impossible. Juste à voir comment il se tient, bouge, répond aux gens, fait réagir les autres, les attire avec une facilité inimaginable, on le croirait invincible.

— La Terre appelle Marie-Douce, fait la voix de Corentin. T'es encore dans la lune... on est arrivés !

Les deux autres s'esclaffent. J'étais vraiment partie loin dans mes pensées, les yeux sur Lucien tout le long du voyage. Je suis d'un ridicule à faire rire. Nous sommes chez les Cœur-de-Lion. Tant mieux, la bouffe de Gisèle commençait à me manquer. Bruno nous ramènera chez mon père, voilà tout !

Corentin et Laura sortent en premier, nous laissant seuls quelques secondes. Juste le temps de sentir les doigts de Lucien effleurer les miens, ses lèvres s'entrouvrir pour dire quelque chose qu'il choisit de taire. Mon cœur s'emballe. Souffre-t-il autant que moi ?

— Tu peux passer devant, dis-je, la voix rauque.

Il me fait un sourire bref qui n'anime pas ses yeux avant de descendre, me laissant quelques secondes de plus pour tâcher de respirer de façon normale.

Dans la résidence des Cœur-de-Lion, les employés sont actifs comme des fourmis. Gisèle passe devant nous avec un jeune homme qui la suit en portant deux boîtes qui lui bloquent la vue. Lucien en saisit une au passage, permettant au livreur de ne pas s'écrouler sous le poids de son fardeau.

— Merci, *man* !

— De rien, répond Lucien.

Le père de Corentin nous bouscule pour passer avec un groupe d'hommes ressemblant davantage à des gardes du corps qu'à des domestiques. Bruno est reparti sans attendre et Miranda nous fait de grands signes du haut des escaliers.

— Mes chériiiiies ! Vous voilà enfin ! Venez, j'ai une surpriiiiise pour vous deux !

Vient-elle de claquer les doigts ? Oh mon Dieu, elle porte ses super talons hauts ! Jessica Varnel doit être encore dans les parages ! Elle ne va donc pas se louer un petit château ?

— Seigneur ! Qu'est-ce qui se passe ici ? s'enquiert Laura en me poussant dans le dos.

— Pas certaine, mais ça m'inquiète un peu…

— Viens, allons tout de même voir c'est quoi, la surprise de ta mère…

— Laura, j'ai peur. Ma mère a parfois de drôles d'idées…

— Allez, courage! Ça ne peut pas être un tigre en liberté dans ta chambre, tout de même.

— Hé, elle vient du monde du cirque. Attention à tes paroles, on ne sait JAMAIS!

Malgré mes réticences, ma curiosité, jumelée à la force de la main de Laura dans mes côtes, l'emporte. Nous montons pour voir la fameuse surprise que Miranda nous réserve. Lorsque nous gagnons l'étage des chambres, ma mère m'embrasse sur les deux joues (ses lèvres ne touchant que l'air, comme d'habitude) et fait la même chose avec Laura que je vois grimacer. Miranda n'y est pas allée de main morte sur le parfum, aujourd'hui!

— Venez, venez, les filles! Votre surprise est dans votre chambre!

Chapitre 40

Le chat sort du sac

Dans notre chambre (Miranda est tout de même gentille de considérer que c'est aussi ma chambre!), un homme que je n'ai jamais vu nous attend. Il est blond et ressemble à Brad Pitt, mais en plus laid et efféminé. Lorsqu'il sourit pour nous accueillir, ses dents sont si blanches que j'en suis éblouie! Soudain, les doigts de Marie-Douce agrippent mon bras très fort.

– Ayoye! Tu me fais mal, espèce de capotée! Qu'est-ce qu'il y a?

– H'est orhe…

Elle chuchote si bas dans mon oreille que je ne comprends rien.

– Quoi?

– H'eeest OOORHE…

Avant que je ne puisse demander à ma sœur de répéter son bafouillage, Miranda lui saisit la main pour la tirer vers le visiteur.

– Ma toute douce, tu te souviens de mon styliste, Georges?

Aaaaaaaaaaaah! C'est le fameux GEORGES!

– Oui… bien sûr. Salut, Georges. C'était pas nécessaire de faire tout ce trajet…

Les mains sur les hanches, le styliste fait une grimace qui déforme sa face d'une drôle de façon.

— Je vois que tout mon travail est à refaire ! *My God*, Miranda, vous n'avez pas veillé à ce que votre fille maintienne son *look* de *star* ?

Miranda émet un soupir spectaculaire, ses longues mains fines collées à son visage, dévoilant des ongles rouges au manucure parfait.

— Vous savez, les adolescentes… on ne peut pas les obliger à être disciplinées…

— Et celle-là, dit-il en me désignant d'un signe de tête, vous espérez que j'en fasse quoi ? Quelque chose de présentable ?

— Hé ! Vous parlez de moi, là ? Je ne suis pas une chose !

— Tu vois ce que je voulais dire… chuchote Marie-Douce. À trois, on part à courir, OK…

Marie-Douce a parlé si bas que je suis la seule à l'avoir entendue. Après un sourire complice à ma sœur, je confronte Georges d'un regard de défi, les deux mains sur les hanches.

— Laura… c'était juste une façon de parler, voyons, intervient Miranda. Georges est le meilleur styliste du Tout-Paris. Il faut le comprendre…

— Mais pourquoi est-il ici ? la questionne Marie-Douce de but en blanc.

— Pour ta grande soirée, trésor. C'est ta fête !

Étonnée par la nouvelle, je me retourne vers Marie-Douce.

– Quoi, c'est ton anniversaire?

– C'est dans deux semaines, ma fête! C'est le 3 octobre! On est juste le 18 septembre!

Miranda émet un rire aigu.

– Tout le monde sait qu'on ne peut pas faire une fête-surprise le jour même de l'anniversaire! Sinon, c'est pas une surprise.

– Une fête-surprise? répète Marie-Douce.

– Eh bien, c'est raté. Le chat est sorti du sac, dis-je.

Non mais, c'est vrai, s'il y a des gens cachés derrière les meubles au rez-de-chaussée, Miranda vient de tout gâcher!

Juste comme les plaques rouges habituelles commencent à apparaître sur la peau de Marie-Douce, la porte de la salle de bains s'ouvre sur une jeune femme blonde et très jolie. À sa vue, ma sœur se jette dans ses bras.

– Biiiiiche! Je suis contente que tu sois là!

– Bon anniversaire, Marie-Douce. Si je m'attendais à un tel accueil! Je suis heureuse de te voir moi aussi! T'es encore plus jolie qu'à ton départ!

Oohh, c'est elle, Biche? La pourvoyeuse de super mascara débile écœurant qui ne coule pas!

– Tu dois être Laura ? demande-t-elle en se détachant de l'étreinte de ma sœur.

– Oui, c'est moi. Euh… merci pour le maquillage, c'était super apprécié.

– De rien.

Georges, derrière nous, commence à s'énerver.

– Bon, c'est terminé les retrouvailles, il faut se magner ! Mademoiselle Biche, je vous donne les vêtements des filles, vous pourrez agencer leur maquillage. J'ai mes ciseaux et mes articles de coiffure. Vite, à la douche les poulettes, on n'a qu'une heure pour faire de vous des femmes du monde !

– Vas-y en premier, me dit Marie-Douce. Je vais regarder ce qu'ils nous ont acheté ! Vite, sauve-toi !

– Pas sans mon shampooing spécial ! intervient Georges en me lançant une bouteille blanche que j'attrape *in extremis*.

Yé ! J'aurai un nouveau *look* ! Et je me fiche que Georges soit un idiot de snob, tant qu'il fait du bon boulot, je serai très reconnaissante !

Chapitre 41

Quatorze ans,
c'est important !

Les vêtements ont été lancés sur mon lit. On dirait qu'ils nous ont fait une nouvelle garde-robe complète à chacune. C'est fou le choix !

— J'ai demandé à Georges de magasiner pour vous deux. J'avais pris les mensurations de Laura en cachette. Est-ce que c'est une belle surprise ?

Le regard de Miranda est empreint d'une vulnérabilité qui m'étonne. On dirait qu'elle attend mon verdict avec fébrilité !

— Oui, maman, c'est une super belle surprise. Merci.

Est-ce que ce sont des larmes au coin de ses yeux ? N'a-t-elle pas peur de défaire son maquillage ?

— J'aime quand tu m'appelles « maman », tu devrais le faire plus souvent. Je sais que j'ai pas toujours été très « maternelle » avec toi, mais j'essaie, maintenant.

— OK, je vais faire des efforts, moi aussi.

Ce n'est pas la première fois que nous avons cette conversation, mais ce soir, elle semble y tenir davantage. Aurai-je, moi aussi, un jour, une mère de la trempe de Nathalie ? Peut-être que je peux l'espérer…

— Alors, tu choisis quoi ?

— Non ! Attendez ! Les robes sont mélangées ! Il y a celles pour Laura, des couleurs plus chaudes, comme du rouge, de l'oranger, du mauve… et pour Marie-Douce, on a du turquoise ou du vert! dit Georges.

Il saisit une poignée de mes cheveux et soupire.

— Je n'aurai pas le temps de te faire une teinture, c'est dommage. Il faudra que je me contente de limiter les dégâts!

— Qu'est-ce qu'ils ont de si pires, mes cheveux?

— Tes pointes sont sèches, ta coupe est déséquilibrée… je vais t'arranger ça vite fait. Ça ne peut pas être pire que le désastre qui est sous la douche!

— Laura a de beaux cheveux!

Georges lève un sourcil fin.

— On voit bien que ce n'est pas toi la spécialiste! Heureusement!

Deux heures plus tard, Biche applique la touche finale au maquillage de Laura. Nous sommes presque prêtes à descendre. D'en haut, on peut déjà entendre les voix des invités. Combien sont-ils? Surtout, qui sont-ils? Est-ce que c'est Corentin qui s'est chargé de la liste? Est-ce que d'autres personnes sont venues de France? Toutes ces questions virevoltent dans ma tête depuis que Laura est sortie de la douche.

Ma sœur est belle, non, que dis-je? Elle est magnifique dans sa robe rouge et avec ses cheveux coiffés de façon un peu *vintage*. Georges a beau être un emmerdeur de premier ordre, je dois avouer qu'il sait y faire. Si je ne suis qu'à moitié aussi jolie dans ma robe verte que Laura l'est dans la rouge, alors je serai heureuse.

– Prête?

Laura me tend la main, nous descendrons ensemble. La brune et la blonde, le duo éternel, les sœurs terribles de Vaudreuil-Dorion!

– Prête.

L'escalier massif donne sur le grand salon qu'on a libéré pour en faire un genre de salle de bal. On se croirait dans le film avec Anne Hathaway, *Le journal d'une princesse*, au moment où Mia descend les marches de marbre. D'ailleurs, Laura lui ressemble, l'illusion est hallucinante. J'ai de la difficulté à croire que nous sommes bien dans la réalité et non dans un rêve.

Des dizaines de têtes se retournent et se lèvent vers nous. Je reconnais nos amis de l'école: Alexandrine, vêtue d'une belle robe noire et chaussée de talons hauts, wow… Clémentine qui s'est mise en frais, vêtue de noir elle aussi, mais avec une fleur rouge dans les cheveux. Elle est belle et sourit presque. Constance est là ! Je suis surprise de la voir… Corentin a dû insister. Samantha, ses cousins Évance et Fabrice Fournier-Desjardins, Sabrina et Héloïse sont là aussi… Ah ! Maurice Gadbois a retrouvé sa veste de cuir, il doit être content. Un peu à l'écart, j'aperçois Samuel, vêtu d'un pantalon gris et d'une chemise blanche. Wow, il est vraiment beau. On dirait même qu'il s'est peigné ! Par réflexe, je cherche des yeux Érica, sa blonde. Est-ce que Corentin l'aurait invitée aussi ? Ce serait terrible…

Laura serre ma main très fort ! Elle l'a vu, c'est sûr. Je m'approche de son oreille pour murmurer :

— Je ne vois pas Érica…

De la musique classique s'élève dans l'air, les jeunes regardent autour, stupéfaits par le son.

— Moi non plus ! Hé, y a même un orchestre, t'as vu ? On dirait un vrai bal !

— C'est un vrai bal, les filles. Tout a été organisé cette semaine, dit Miranda derrière nous. Bon anniversaire, ma grande fille. Quatorze ans, je me suis dit que c'était important…

Chapitre 42

Misèèèère !

Mes talons sont un peu trop hauts. Ma robe est belle, mais si cintrée que j'ai peur de bouger et de déplacer le bustier qui maintient le haut en tissu voilé. Disons que je n'ai pas l'habitude de porter des vêtements fragiles, encore moins de faire attention à ma démarche.

Il n'est que 19 h, le soleil vient de se coucher. Nous sommes environ cinquante sur la piste de danse improvisée. Je ne connais pas tout ce monde. On dirait que l'équipe de hockey de Samuel est là au grand complet, incluant les blondes. Je vois aussi Sabrina, Ève et Héloïse. La salle est grande, nous avons tout l'espace voulu.

Pendant un instant, j'ai craint que l'orchestre ne joue que de la musique de bal (de vieux!), mais ça s'est vite ajusté quand Lucien s'est emparé de l'équipement de DJ qui avait été mis à sa disposition à côté de l'orchestre. Ce dernier est en fait un duo de violoniste et de contrebassiste capables de jouer comme des virtuoses à peu près n'importe quoi. Des amis à Valentin, semble-t-il. Pratique-pratique de faire partie du monde du spectacle. Personne n'a un tel duo au fond de son placard à sortir au moment opportun! Personne à part Valentin Cœur-de-Lion, semble-t-il!

Lucien vient de saisir le micro, il anime la petite foule comme un pro. Il parle avec une assurance hallucinante, tout le monde est pendu à ses lèvres. Un petit rap avec ça? Ben oui! En anglais, à part de ça. Tout le monde se met à applaudir en reconnaissant l'air de Thrift Shop, mais personne ne s'attend à ce que Lucien récite le texte au complet et à la perfection! Puis, arrive LA surprise de la soirée: Harry Stone est là en personne! La petite foule se met à crier! Lucien et Harry chantent et dansent ensemble comme s'ils l'avaient fait depuis toujours!

Une dame passe avec un plateau. Des Shirley Temple! J'adore ce cocktail! Dans un coin de la grande pièce, je vois Hugo et ma mère qui dansent en riant. Il fait bon de voir maman heureuse. Du coup, j'ai une pensée pour mon père. Je l'écarte très vite de ma tête, je ne veux pas le laisser me gâcher une seule seconde de cette superbe soirée.

Alors, sans m'en parler, Corentin, Lucien, Valentin et Miranda ont mijoté cette surprise pour Marie-Douce! Pendant de longues secondes, tout ça m'apparaît comme un rêve. Je suis figée sur place et j'essaie de capter chaque détail de ce qui se trame autour de moi. Je suis maquillée et coiffée par des pros venus de France, il y a Harry Stone qui chante devant moi pour un spectacle privé. Malgré tout ça, ce qui m'émeut le plus, c'est de savoir que Samuel est ici et qu'Érica n'y est pas. Je le sais pour avoir posé la question à Alexandrine, il y a quelques minutes. Elle me l'a confirmé. Elle m'a aussi traitée de vilaine cachottière pour ne pas lui avoir raconté qui était vraiment Corentin.

— Si t'avais su, qu'est-ce que ça aurait changé ? lui ai-je demandé presque en criant pour qu'on s'entende à travers le brouhaha.

— Pas grand-chose ! À part que je lui aurais demandé l'autographe de son père ! C'est l'acteur préféré de ma mère ! Et dis donc, c'était du sérieux entrer ici ce soir ! Ils nous ont fait placer nos cellulaires et iPod dans une enveloppe qu'ils vont nous redonner en sortant ! On se croirait sur une autre planète, les filles capotent, elles n'osent pas bouger !

Sur l'un des fauteuils blancs placés le long de la baie vitrée pour céder place à la danse est assise Constance qui regarde la fête les bras croisés et la mine basse. Pas loin d'elle, Clémentine l'imite, le visage encore caché derrière sa tignasse noire qui tombe en cascade perpétuelle devant ses yeux. Près d'elles, Samantha exécute des pas de danse maladroits. Toutes les deux minutes, elle tente de tirer Constance hors de son siège, mais celle-ci refuse à chaque fois.

Lucien a cédé la scène à Harry qui interprète maintenant l'un de ses plus grands succès : *I'll love you always*. Dès les premières notes entamées sur le clavier électronique, les filles font en chœur un « Ooooooon ! » adorateur. D'ailleurs, je pense que Mathilde Beauchemin est sur le point de s'évanouir. Une chance que Dariane est là pour la calmer !

Un slow ! Oh non, les couples se forment sur le plancher de danse ! Je dois m'ôter de là et vite ! Il n'y a rien de pire que de faire le pied de céleri parmi des couples enlacés. Je cherche ma sœur des yeux, curieuse de voir lequel de Corentin ou de Lucien l'a invitée à danser. Soulagée de la voir dans les bras de Coco, je marche aussi vite que je peux (sans avoir l'air de courir) pour me réfugier derrière une plante ou quelque chose d'immobile et d'assez gros pour me cacher tout entière. De là, je pourrai observer qui danse avec qui et me mettre à jour dans mes potins (j'ai été très occupée ces derniers temps !).

– Laura...

Cette voix, zut, c'est Samuel. *Zut* parce que je suis ENCORE en mauvaise posture. J'ai ôté mes souliers qui me faisaient souffrir, mes boucles d'oreilles parce que j'en ai perdu une (j'espère que

ce n'était pas de l'or véritable, elles sont à Miranda!)
et je suis cachée derrière un palmier d'intérieur! La
providence n'a aucune pitié pour moi!

— Samuel! Salut, je ne savais pas que tu étais
là...

Argh... quelle conne je fais!... Tant qu'à mentir,
j'aurais au moins pu le faire avec plus de subtilité!

— Pour de vrai? Tu m'avais pas vu? C'est bizarre,
je t'ai vue me fixer tantôt.

Alors que Harry Stone nous honore de sa voix
mélodieuse et que je manque ce beau spectacle
parce que le gars de mes rêves me surprend à lui
mentir en pleine face, je ne voudrais qu'une seule
chose : fondre sous le marbre du plancher blanc.

Je ne sais pas quelle mouche m'a piquée, mais
d'un seul coup, je suis lasse. Fatiguée de « capoter »
chaque fois que Samuel est concerné, qu'il me
regarde de travers ou me surprend à faire quelque
chose de pas correct. Agacée par les bobépines qui
retiennent mes cheveux, je défais mon chignon d'un
geste impatient, puis je lève les yeux vers Samuel.
Oh, mon Dieu qu'il est beau! Je ne dois pas me
laisser impressionner, il faut que je vide mon sac!
Il est temps.

— Tu sais quoi, Samuel? Je suis tannée. Chaque
fois qu'on se parle, depuis des mois, c'est pour se

défier à propos des Canadiens et des Bruins, ou parce que j'ai fait telle ou telle connerie qui n'a pas plu à ta blonde, qui est ma pire ennemie *by the way*, ou que j'ai fait de la peine à Constance ou que j'ai été bête avec toi alors que t'as juste essayé de me dire « allô » ! Tout ça, c'est con et j'en ai ma claque. Je voulais juste… ah et puis, laisse faire !

Je fais un pas sur le côté pour le contourner et m'en aller, mais il m'arrête d'une poigne solide.

— J'ai cassé avec Érica !

Je freine sans tenter de libérer mon bras de son étreinte. D'une main impatiente, je repousse ma frange.

— Quoi ?

Il me dévisage sans répondre à ma question. Il sait que j'ai très bien compris.

— Veux-tu danser avec moi, Laura ?

— Euh… la chanson est presque finie…

Il penche sa tête pour approcher son visage du mien, un demi-sourire aux lèvres.

— Vraiment ? Tu vas encore inventer une autre connerie pour être sûre de me garder à distance ? Es-tu sérieuse ?

Découragée de mes « conneries », comme il le dit si bien, je ferme les yeux, les mains plaquées sur mon visage et je penche la tête en la secouant.

Je suis un cas désespéré. Je ne sais pas comment Marie-Douce a pu imaginer que j'étais dégourdie et confiante. Je ne suis rien de tout ça. Misèèèère !

– OK…

– OK, quoi ?

– OK pour danser… mais attends, je dois remettre mes souliers.

– T'es belle sans souliers, viens…

Je suis belle ? Oooh !

Samuel pose une main sur ma taille et l'autre dans mon dos. Mes bras enlacent son cou, nos visages se touchent à peine, sa joue contre la mienne. Je ne veux pas regarder autour de nous, j'ai à mon tour une bulle de bonheur magique qui ne durera que le temps de terminer ce morceau. Je supplie Harry Stone dans ma tête pour qu'il ait l'idée géniale de chanter une autre ballade encore plus lente.

Chapitre 43

Harry, Corentin, Lucien...

Je n'ai jamais eu de fête-surprise de ma vie entière. Quelle soirée magique, c'est fou! Et voilà Laura qui danse enfin avec Samuel! Il était temps! La nouvelle de sa rupture avec Érica St-Onge s'est répandue comme une traînée de poudre. Personne n'est surpris de le voir avec Laura, depuis le temps qu'ils se tournent autour, ces deux-là.

— Tu peux demander à Harry de faire une autre ballade?

Corentin, 7 Up à la main, secoue la tête.

— Tu veux ça pour Laura? Pas besoin, regarde, Harry vient de décider de prendre une pause. Le duo à cordes va prendre la relève, on aura de la musique lente pour les amoureux!

Eh bien, voilà, Laura pourra continuer à danser dans les bras de son beau prince charmant!

— Voulez-vous coucher avec moi? fait une voix familière dans mon oreille.

— *No Harry, I'll pass, if you don't mind*[2].

— *Funny girl... Hey Cinderella, what's up*[3]?

— *Thank you for being here, Harry. What a surprise*[4]!

---

2. Non, Harry, je vais passer mon tour, si ça ne te dérange pas.
3. Petite comique. Hé, Cendrillon, quoi de neuf?
4. Merci d'être venu Harry, c'est toute une surprise!

– Well, what wouldn't I do for my very own princess, huh ? When my buddy asked, I just couldn't refuse[5] !

Son garde du corps est planté à un mètre de lui, tenant à distance un cercle de curieuses (incluant Dariane et Mathilde) qui sautille en le pointant du doigt. Il enchaîne en me racontant à quel point lui, qui est originaire d'Angleterre, avait toujours rêvé de voir le Québec. Surtout pour y voir les filles, elles y sont les plus belles, paraît-il. Il me demande de danser : qui dirait non à Harry Stone ? Je me glisse dans ses bras sans trop m'en émouvoir. Drôle comme certaines personnes peuvent me laisser froide malgré leur charme. Harry fait partie de ces gens-là. Son énergie ne me fait pas vibrer !

Après quelques pas, il me dit que je me tiens comme une ballerine, que ma grâce et ma légèreté l'impressionnent. Je ris tout haut, et lui avoue que j'en suis une. Harry est très poli, très gentleman. On dirait qu'il sait exactement quoi faire et ne pas faire, comment se tenir pour plaire à son public sans vexer personne. Il est comparable à un beau gros réfrigérateur : solide, fermé et froid à l'intérieur. Alors que nous dansons sans trop nous coller,

---

5. Que ne ferais-je pas pour ma princesse, hein ? Quand mon copain m'a demandé de venir, je n'ai pas pu refuser !

tous les regards convergent dans notre direction. Il me retourne d'une main habile pour me faire tournoyer, ce que je fais sans difficulté. « Cette fille sait danser ! » s'exclame-t-il en anglais. Oui, mon bonhomme ! Cendrillon Brisson-Bissonnette a suivi quelques cours ! Pour une rare fois que j'en fais la démonstration en public !

Malgré tous les beaux moments que je passe depuis notre arrivée, j'ai le cœur en miettes. Qu'espérais-je donc pour ma fête ? Un beau moment romantique comme celui que partagent Laura et Samuel ? Oh oui !... Ai-je vraiment besoin d'attendre que la chanson s'arrête pour aller voir ce que fait Lucien ? Oh non !

« Je suis désolée, Harry, je dois parler à Lucien, tu m'excuses ? » Il sourit et s'exclame : « *Finally !* » et me confie que son ami n'a pas cessé de lui parler de moi depuis mon départ. Du coup, je suis convaincue qu'il me dit ça juste pour me faire plaisir, ou pire, pour faire la conversation.

Sous les regards curieux de mes camarades de classe, je me fraye un chemin parmi les convives. Maintenant que j'ai pris la décision de faire fi de ces histoires d'honneur entre gars et d'exprimer ce que j'ai sur le cœur, je suis impatiente de retrouver Lucien. J'ôte mes souliers trop chics pour mon confort et surtout pour marcher plus vite lorsque quelqu'un m'arrête. C'est Corentin.

— Marie ! Où vas-tu ?

D'un mouvement plus brusque que je ne l'aurais voulu, je pivote vers lui.

— C'est pas de tes affaires, Corentin… Tu ne trouves pas que t'en as assez fait ?

— Mais de quoi tu parles ?

Il ne comprend pas. Il me niaise ou quoi ? Je n'en peux plus… Et comme c'était inévitable… j'explose.

— De Lucien ! T'aurais pu lui dire qu'il pouvait être avec moi ! Mais t'en as rien fait ! Je ne peux pas t'aimer de la même façon que toi tu m'aimes. Est-ce que tu comprends ça ? Tu ne peux pas te mettre en travers de mon chemin, comme ça ! C'est pas juste et ça fait mal !

— Je ne comprends rien, Marie-Douce. Viens, allons dehors. Ici, il y a trop de monde.

Mes larmes coulent sur le beau maquillage de Biche. Par bonheur, je sais que je peux faire confiance au mascara qui ne bavera pas ! Entraînée par Corentin vers la terrasse, je respire l'air frais du soir avec soulagement.

— Tu penses que j'ai empêché Lucien d'être avec toi ?

J'acquiesce d'un signe de tête en essuyant mes yeux du revers de ma main.

– J'aurais jamais fait une chose pareille ! s'exclame-t-il.

– C'est ce qu'il m'a dit !

Corentin, visiblement troublé, passe une main nerveuse dans ses cheveux.

– Je t'aime, c'est vrai, mais je ne suis pas con. Ça fait des semaines que j'ai compris que c'était impossible. Si Lucien m'avait dit qu'il t'aimait, et je suis loin d'être convaincu que c'est le cas, je ne lui aurais rien dit pour l'éloigner de toi. Non, mais, Marie, pour qui tu me prends ?

Un long sanglot bloque ma gorge et me prive de ma capacité à parler. Plusieurs secondes passent avant que je puisse répondre.

– Je m'excuse. Je ne sais plus ce que je dis. J'ai dû mal comprendre.

– Allez, viens là, dit-il en m'entourant de ses bras, comme lors de notre voyage à Paris.

Je retrouve enfin mon meilleur ami, celui sur qui je peux m'appuyer quand la vie est trop compliquée. Il fait bon de juste pleurer. Corentin a raison, il est fort possible que Lucien ne soit pas amoureux de moi. Il s'est inventé cet obstacle imaginaire pour me *flusher* sans avoir l'air du gros méchant !

Dans l'ombre, à quelques mètres de nous, une silhouette masculine s'approche. C'est Lucien. Il a encore tout entendu, c'est certain. Corentin échappe un juron et, sans desserrer son étreinte, pose ses lèvres sur mon front.

– Je vous laisse, mais sois prudente, d'accord ? Souviens-toi de ce que je t'ai dit.

Mon ami retourne à l'intérieur sans regarder derrière.

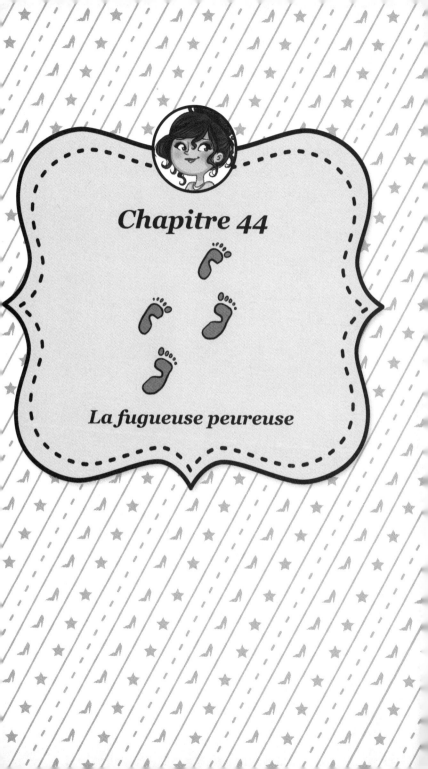

Chapitre 44

La fugueuse peureuse

Si ce slow dans les bras de Samuel Desjardins pouvait durer toute une vie, ça ne serait pas assez long. Mon cœur se gonfle et on dirait que chaque cellule de mon corps est contente. C'est une expérience difficile à décrire. Suis-je vraiment en train de danser avec celui qui me nargue depuis la cinquième année du primaire à cause de notre petite rivalité à propos du hockey, celui devant qui j'ai fait gaffe sur gaffe au cours des six derniers mois ? Je suis dans ses bras pour de vrai, ma joue contre son épaule ? Il sent bon en plus, un détail que j'ignorais.

Ses mains sont sur mon dos, on dirait qu'il n'ose pas bouger. A-t-il peur que je m'envole ? Il a peut-être raison parce que c'est tout à fait mon genre. D'ailleurs, que faire, une fois la musique terminée ? Dois-je le remercier pour la danse, faire une petite révérence et me tirer de là au plus vite ? Oui, c'est ça que je dois faire. De toute façon, ce n'est pas comme s'il m'avait embrassée ! Non non non, rien de tout cela. C'est juste une danse, c'est pas une demande pour « sortir avec lui ».

Puis, je me mets à penser à Érica, à quel point elle est à l'aise avec les garçons. Entre elle et Samuel, tout avait l'air si naturel ! Il l'enlaçait, elle l'embrassait, ils se tenaient par la main… au début, du moins. Ces derniers temps, il était plutôt distant avec elle. Mijotait-il déjà de m'approcher depuis le début des classes ? A-t-il des attentes ? Rira-t-il s'il apprend que je n'ai jamais embrassé de garçon ?

Il va me comparer à Érica !

Du calme… Du calme. Pour l'instant, il n'a fait aucun mouvement indiquant qu'il s'apprête à m'embrasser.

Oh, mon Dieu, ses mains viennent de monter à mon cou. Je fais quoi à part serrer les paupières et retenir ma respiration ? Je deviendrai bleue en un rien de temps, s'il ne me lâche pas.

— Qu'est-ce que t'as, Laura ? Tes bras sont tout raides.

— Rien, rien, dis-je en tâchant de dénouer les muscles de mes épaules.

Zut ! Il a raison, je suis comme une statue de ciment, il doit sentir un étau d'acier autour de son pauvre cou. Je force mon sourire, mon cœur bat trop fort.

Samuel penche sa tête vers l'arrière pour me regarder, ses mains sur mes épaules. Je lui fais de grands yeux innocents et un sourire figé. Je suis certaine qu'on voit les veines ressortir sous la peau de mon cou. Moi et une poupée de cire de film d'horreur, c'est pareil-pareil.

— Tu veux qu'on aille s'asseoir ? demande-t-il.

— Toi, tu veux t'asseoir ?

— Je te demande ce que toi tu veux. Moi, je m'en fiche, tant que je peux rester avec toi.

Là, je ramasse ma mâchoire qui vient de tomber au plancher.

— Tu veux rester avec moi ?

— Tu ne veux pas ? demande-t-il.

— Euh… Oui, oui… bien sûr ! Pourquoi est-ce que je ne voudrais pas ?

Il sourit, il regarde le plancher. Il a l'air gêné ! Il se passe une main dans les cheveux. Est-il donc nerveux lui aussi ?

— Ben, je sais pas… Nous deux, ça n'a jamais été facile. Peut-être que tu préfères aller voir tes amies. Je comprendrais…

— NON !

C'est sorti beaucoup trop fort.

— Ahem… je veux dire, euh… non. Allons sur la terrasse, la musique y est moins forte, on pourra, euh… jaser.

Il me sourit, il a l'air soulagé et je suis soulagée qu'il soit soulagé. Ouf, pourquoi c'est si compliqué de se faire un chum ?

À cette pensée, je me fige. Je ne peux pas arriver lundi matin à l'école, main dans la main avec Samuel, alors que pas plus tard que ce matin, il avait Érica à son cou !

Comment réagira-t-elle ? Me sautera-t-elle au visage ?

Et, le plus crucial : que vont dire les autres ?

Telle une automate, je laisse Samuel me guider vers la terrasse. Main dans la main pour la première fois. Il marche devant moi. Il a l'air irréel tellement je le trouve beau et doux et gentil et… non, je ne suis pas prête.

— Excuse-moi, Samuel, je dois… euh, je reviens. Ça ne sera pas long.

Il hausse les sourcils, l'air inquiet. Comment peut-il être aussi fin avec moi tout à coup ? Je ne sais pas quoi faire avec ça !

Sans chercher à retrouver mes chaussures que j'avais retirées avant la danse, je pars sur la pointe des pieds, je monte les marches qui me séparent du placard à balais où Marie-Douce s'était réfugiée et j'en ouvre la porte.

Chapitre 45

**Retour au placard
à balais...**

Corentin s'éloigne sans se retourner. C'est moi qui le fixe, les yeux grand ouverts, incapable de faire face au nouvel arrivant.

Lucien.

C'est l'heure de vérité. A-t-il, oui ou non, utilisé Corentin comme excuse pour se libérer de moi ? Si c'est le cas, je ne donne pas cher de mon pauvre cœur. La douleur sera terrible, je la sens déjà. Ça fait un trou noir juste là, au milieu de ma poitrine. Je prends une longue inspiration avant de le regarder.

– Salut, Lucien. C'était bien, la toune. Ton duo avec Harry et tout… T'es vraiment bon sur scène. Je suis certaine que tu vas avoir une super carrière très bientôt…

Arf, pourquoi je babille comme ça ?

Il me fait un sourire froid, comme si mes compliments n'étaient pas importants pour sa grosse vie de future *star* qui sait qu'elle a du talent à revendre. Mais qu'est-ce que j'ai à me faire des illusions avec un garçon comme Lucien Varnel-Smith ? Il y aura tellement de gens importants qui passeront dans sa vie, pourquoi s'attarder à moi ?

– Ouais, c'est déjà sur les rails. J'ai justement reçu une bonne nouvelle tout à l'heure.

– Ah oui ? Laquelle ?

 373

— Mon agent va me faire signer avec Sony. Peut-être en solo, pas de groupe. Juste moi. C'est en Angleterre. Ça voudra dire aller vivre là-bas pour un bout de temps.

— Wow! C'est fabuleux! dis-je.

Vais-je vomir?

— Ouais, mais j'hésite…

En disant ça, il me regarde avec une intensité qui me fait fondre. Il hésite à cause de… moi? Est-ce cela que ses yeux essaient de me dire?

— Qu'est-ce qui te fait hésiter, voyons? C'est une occasion en or qui ne se représentera peut-être jamais!

Dis que tu n'iras pas… que tu resteras ici… que tu veux apprendre à me connaître, allez…

— J'hésite à cause de mon groupe, dit-il. Laisser tomber les potes, ça ne me plaît pas du tout.

— Oui, oui, les potes… C'est sûr.

De la schnoutte avec les potes! Et moi?

Malgré tout, je garde mon sourire brave.

— Marie…

— Pourquoi est-ce que t'as inventé des histoires à dormir debout, Lucien? dis-je en croisant les bras, un trémolo incontrôlable dans la voix.

— Quoi?

— Au sujet de Corentin et de ton sens de l'honneur pour pas le froisser ! T'avais pas besoin d'inventer une histoire pareille pour me tenir loin de toi. T'avais juste à être honnête et à me dire : « Marie-Douce, même si on s'est embrassés, ça ne voulait rien dire pour moi et si pour toi c'est différent, j'en suis désolé » ! T'avais pas besoin de refaire ton numéro de charme pour ensuite me *flusher* comme une petite crotte !

— Tu te trompes. Ma loyauté envers mon ami est sincère, même si Tintin ne me l'a pas demandé.

Je sourcille, la lèvre inférieure tremblotante. Que répondre à ça ?

— Tu pars quand pour l'Angleterre ?

— Dans quelques jours tout au plus, dit-il en s'approchant d'un pas.

— Alors, c'est un adieu. C'est la dernière fois que je te vois en chair et en os. Ta vie va prendre un sacré tournant.

Contre toute attente, il s'approche de moi et dépose ses paumes sur mon visage pour le lever vers le sien.

— Il nous reste ces quelques jours. Si tu veux, on peut les passer ensemble.

— Et Corentin ? T'en fais quoi ?

– Je l'ai entendu te dire qu'il sait qu'entre vous c'est impossible. Ça change tout. Et puis, je lui parlerai. Si entre Tintin et moi, les choses s'éclaircissent, alors nous pourrons profiter du temps qu'il nous reste.

– Quelques jours que je regretterai amèrement après ton départ…

Il est maintenant devant moi, il saisit mes mains et nos doigts s'entrecroisent. Mon cœur s'emballe.

– J'ai pas dit ça souvent… euh, jamais, pour tout dire. Marie…

– Quoi.

– Je ne sais pas ce que l'avenir me réserve, ni si je vais pouvoir revenir ou quoi, mais je veux que tu saches…

Son front est maintenant collé au mien, nos doigts toujours soudés.

– Je ne t'oublierai jamais, quoi qu'il arrive !

Moi non plus, je ne l'oublierai jamais. Comment le pourrais-je ?

La porte de la terrasse s'entrouvre, Samuel Desjardins est là, il nous regarde, l'air inquiet.

– Marie-Douce… Oh ! désolé de vous déranger !

Samuel a l'air mal à l'aise, c'est rare que je le voie comme ça ! Il est si calme et confiant, d'habitude. Serait-il troublé par une certaine jeune fille aux cheveux bruns de ma connaissance, par hasard ?

– Tu ne nous déranges pas, Samuel. Qu'est-ce qui se passe ?

– C'est Laura, elle a disparu.

– Comment ça, disparu ?

– On a dansé ensemble, tout allait bien. J'ai même pas essayé de l'embrasser, j'ai juste comme dit que je voulais être avec elle… j'ai rien fait de mal ! Elle a eu l'air énervée et s'est éclipsée ! Ça doit bien faire une bonne demi-heure. La maison est un vrai labyrinthe, je ne sais pas où chercher et je me disais que tu pouvais peut-être avoir une idée d'où elle aurait bien pu aller…

– Vous ne vous êtes pas chicanés ?

Il me lance un regard surpris.

– Non, au contraire, on devait se rejoindre sur la terrasse pour… euh… jaser et paf, c'est là qu'elle s'est comme… enfuie !

Enfuie… enfuie… C'est mon genre, ça… pas celui de Laura.

Peut-être qu'on se ressemble davantage que je ne le croyais, après tout !

– Je pense que j'ai une petite idée de l'endroit où elle peut être, laisse-moi quelques minutes.

– Je viens avec toi, dit Lucien.

Je lui souris, heureuse de l'avoir avec moi pour encore quelques précieux jours. Puis, comme je réalise que, justement, notre temps est compté, je décide de faire fi de toutes mes peurs et hésitations et je me jette dans ses bras. D'abord surpris, il m'enlace et je saisis son beau visage entre mes mains.

– Je dois m'occuper de ma sœur toute seule, mais t'en vas pas. On a du temps précieux à savourer, OK ?

Il se penche pour déposer un baiser sur mes lèvres.

– Promis. Je ne bouge pas.

Même si j'ai du mal à me séparer de Lucien, je le quitte pour traverser le grand salon où la fête bat son plein. Je gagne les marches menant à l'étage des chambres et mes pas me guident vers le placard à balais.

Mon petit doigt me dit que j'y retrouverai peut-être une jeune fille en amour, mais paniquée à l'idée de faire face à la musique…

Dans le noir, quelque chose a bougé, juste sous la tablette des bouteilles de nettoyant à plancher. Puis, une silhouette familière se dessine dans la pénombre. Je pense que j'ai trouvé la fugueuse.

– Hé, qu'est-ce qui se passe ? Samuel te cherche !

Un long soupir précède sa réponse.

– Tu vas dire que je suis conne…

Je souris avec tendresse. Conne ou non, ensemble, on trouvera une solution. Des sœurs, c'est fait pour ça, non ?

À suivre…

☺

Remerciements

Merci à toi qui me lis ! Trois tomes, wow ! Après tant d'aventures, nous sommes désormais lié(e)s par le cœur ! Ne me lâche surtout pas, je te réserve des heures de lecture palpitantes !

Je dois souligner l'aide précieuse de ma fille Sandrine et de ses amies de l'école de la Vallée à St-Sauveur. Vous êtes géniales et vos idées ont fait du chemin sur mon clavier.

Un énorme câlin à mon fils Thierry qui m'inspire tous les jours sans le savoir.

Rosalie et Élodie Gagné, merci de vos réponses à mes questions parfois bizarres concernant votre vie sociale et scolaire. Vous êtes mes filles modèles de la vraie école secondaire de Vaudreuil-Dorion ! Votre aide est précieuse.

Katherine Mossalim, Shirley De Susini, Marc-André Audet et toute l'équipe des Malins, encore une fois mille mercis !

Corinne De Vailly, Fleur Neesham, Chantale Genet et Chantal Morisset et Estelle Bachelar, sans vous, rien ne serait pareil !

Étoiles et bises sincères,
Marie

Bises,
Marie ✕★✕★✕

**Retrouve les Filles modèles
sur Facebook !**

 www.facebook.com/lesfillesmodeles

Achevé d'imprimer sur les presses de Marquis - Gagné
Octobre 2015 - 2e impression